ORSON WELLES

PAR JOSEPH McBRIDE

TRADUIT DE L'ANGLAIS
PAR CHRISTIANE STOLL
ET BERNARD TURLE

RECHERCHES ICONOGRAPHIQUES
LULI BARZMAN

RIVAGES

Sommaire

Couverture :
Orson Welles et *Rita Hayworth* lors du tournage de la Dame de Shanghai. *(Cahiers du cinéma)*

1. Introduction : Un citoyen de l'écran.

Orson Welles est un monstre de la scène et de l'écran. Dès qu'il est devant une caméra, le reste du monde semble disparaître. C'est un citoyen de l'écran.

Jean Renoir

En 1972 j'ai eu l'insigne privilège d'avoir accès (prématurément) à la notice nécrologique qui sera diffusée dans le monde entier sous les auspices d'une des grandes agences de presse, lors du décès d'Orson Welles. Les journaux ont tous en réserve de telles notices sur les personnalités du moment, mais celle de Welles exerce un attrait particulier. Sa toute première action dans son tout premier film, *Citizen Kane,* n'était-elle pas de mourir, et la plupart de ses films ne s'ouvrent-ils pas sur cet étrange moment où une vie légendaire se mue en une légende sans vie ? La notice nécrologique, après avoir comparé Welles à un Alexandre le Grand du XXᵉ siècle toujours en quête de nouveaux mondes à soumettre, se lance dans un long compte rendu de l'incident qui est à la source de la légende, *The War of the Worlds,* la fameuse émission de radio durant laquelle il fit croire à tous les Etats-Unis, en 1938, que les Martiens avaient commencé d'envahir le pays. Les légendes ne font qu'un usage limité des faits et la notice ne souligne pas que l'effet produit était dû en grande partie à l'heure de passage de l'émission, ni que cette dernière a été jugée d'une qualité inférieure à ses autres émissions de radio. Le compte rendu s'étend ainsi sur dix-sept paragraphes avant de s'orienter vers un bref résumé de la carrière de l'enfant prodige, à la scène et à l'écran, et, de là, vers quelques renseignements biographiques. Pour peu qu'elle dédaigne entièrement la maigre référence à son œuvre cinématographique, la postérité ne s'attachera donc qu'aux purs mécanismes de la légende, aux événements qui auront mené au drame, non au drame lui-même.

Welles n'a jamais rien tenté pour effacer son rôle de farceur diabolique et s'est récemment présenté à la télévision en annonçant, avec de la fierté et presque de l'émotion dans la voix : « Oui, mesdames et messieurs, l'Ombre c'était bien moi », faisant référence à une émission radiophonique où il prêtait sa voix à un spectre vengeur. Il y a là de l'ironie – interpréter le rôle d'un esprit sur les ondes est une aventure théâtrale extraordinaire – et si l'accent mis par Welles sur ces tours de passe-passe de ses débuts semble déplacé devant l'importance de ses réalisations ultérieures, nous devons reconnaître que l'élaboration d'une telle

Le Troisième Homme, *Orson Welles* dirigé par Carol Reed.

légende est au centre non seulement de la personnalité du réalisateur mais aussi des sources les plus profondes de sa puissance créatrice. Welles a toujours été un personnage hors du commun. Voyez, par exemple, l'attitude qu'il adopte face à son lieu de naissance, la banale ville de Kenosha, dans le Wisconsin (Middle-West). Conçu à Paris et baptisé à Rio de Jañeiro, il trouve qu'être né à Kenosha est une grave injustice.

Voyez sa corpulence : il s'est défini lui-même comme « un Gandhi plutôt suralimenté » et fut ravi de devoir maigrir pour jouer "Falstaff". Ou sa passion du maquillage : enfant, il emportait sa trousse de maquillage à l'école et jouait avec durant les récréations. Pour effrayer un garnement qui brutalisait les autres, il se confectionna un jour un visage tout ensanglanté. A l'âge de neuf ans il se costuma en Roi Lear. Il n'y a qu'un seul film où il n'est pas grimé : *Le Troisième Homme,* dans lequel il joue Harry Lime, le personnage qu'il déteste le plus parmi tous ceux qu'il a joués – et c'est significatif. « Je déteste Harry Lime, me confia-t-il un jour. Il est exempt de passion, froid ; c'est Lucifer, l'ange déchu. » Welles a conservé tous les faux nez qu'il a portés, et il lui est même arrivé de les arborer dans la rue.

Le maquillage est un rituel nécessaire chez le héros wellesien. Il a un « secret », quelque chose à cacher, comme Adam cache sa nudité. Le point culminant de tous les films de Welles est le moment où le personnage principal est démasqué par un homme plus jeune qui, voyant sur son visage la honte de sa culpabilité et de sa corruption, peut aussi la voir en lui-même. Le thème central est toujours la capacité des êtres à se tromper eux-mêmes et à refuser de prendre conscience de la réalité. Et comme l'a très bien remarqué Pierre Duboeuf, même quand Welles n'est pas grimé, « le mouvement des sourcils semble toujours traduire une sorte d'irritation, le regard est parfois d'une intensité extrême, et il y a dans le comportement du personnage une hésitation qui lui confère une dimension pathétique... et une certaine fragilité. »

La théâtralité de l'auto-dérision de Welles a amené certains observateurs à porter sur lui des jugements moraux plutôt sévères. J'ai, par exemple, entendu dire que le réalisateur n'avait pas le droit de se plaindre des faibles budgets de ses films, puisqu'il devait lui-même engloutir chaque année l'équivalent du budget d'un long métrage. Si nous prenions au sérieux de telles allégations nous serions peut-être amenés à voir en Welles un nouvel Hemingway, qui perdrait de vue toute la vulnérabilité dissimulée par les protestations de puissance de ses héros, et qui

Orson Welles adolescent.

laisserait finalement passer dans son œuvre sa propre représentation de leurs fantasmes. Cependant, malgré toute l'exubérance de son personnage public, dans son travail, Welles ne s'est jamais départi d'une ironie complexe envers ses héros. Le gamin qui se grimait pour changer de visage était par ailleurs, nous dit-on, calme et effacé en compagnie d'autres enfants. Pour fuir ses angoisses, Hemingway accompagnait son père dans de viriles randonnées à travers les forêts ; Welles, lui, parcourut le monde avec le sien, qui était bon vivant, mais il se sentait tout aussi proche de sa mère, Béatrice, une pianiste qui fut la confidente de Ravel et de Stravinsky. Orson avait huit ans quand elle mourut et treize lorsque son père, Richard, mourut à son tour. Bien qu'il soit tentant de voir en Welles un vagabond vulnérable et sans foyer, errant au pays des fantasmes gratifiants, le noyau de ses obsessions se trouve sans doute ailleurs.

Peut-être la clef de sa personnalité réside-t-elle dans une déclaration qu'il a faite récemment à propos de son œuvre, et dans laquelle il s'est décrit comme « un moraliste contre la moralité ». Dans la même interview, il continuait ainsi : « En réalité, je suis un homme d'idées ; principalement – je suis même davantage un homme d'idées qu'un moraliste, je crois bien. » Il est clair que les films de Welles ne sont pas moralistes dans le sens où le sont ceux d'Howard Hawks par exemple – ce ne sont pas des fables dont le héros a une attitude exemplaire ; et ils n'ont rien d'anarchiste ni de béhavioriste comme chez Renoir. Dans un film de Welles ressort surtout le hiatus qui existe entre les émotions et les actions des personnages, et le contexte moral de celles-ci.

Si, à l'instar de Renoir, Welles est déférent à l'égard de ses personnages, il n'autorise jamais leurs actions à déterminer la forme du film. Bien au contraire, il élabore dans *Citizen Kane* une géométrie visuelle pleine d'ironie, un système dans lequel il enferme son héros qui apparaît ainsi, de notre point de vue privilégié, comme absolument démuni. De la même façon, dans *la Splendeur des Amberson* et la plupart de ses films ultérieurs, il fera intervenir un narrateur tout-puissant, destiné à établir une distance entre le spectateur et les tribulations du héros ; dans la majorité de ses films il bouleverse l'ordre chronologique et place en ouverture des scènes montrant la destruction du héros ou la supposant, le reste du film apparaissant donc ironiquement comme une parenthèse. Les séquences d'ouverture constituent un résumé lyrique ou littéral du récit à suivre : c'est la bobine d'actualités dans *Citizen Kane,* le documentaire sur la ville dans les *Amberson*, la réunion des sorcières dans *Macbeth*, la procession funèbre et la mise en cage de Iago dans *Othello*, la parabole de la loi dans *le Procès*, la conversation de Falstaff et de Swallow dans *Falstaff*, au cours de laquelle les deux vieillards racontent leur vie. Ces rapides vues d'ensemble jouent en quelque sorte le rôle du chœur dans la tragédie grecque, nous familiarisant avec les grandes lignes du mythe de façon à ce que nous ayons conscience des conséquences des actions du héros au moment même où il les accomplit : élevés à cette position de juges, nous établissons une distance idéologique avec le héros, pour lequel nous pouvons tout de même éprouver de la sympathie.

Il serait faux de penser cependant que Welles est un déterministe. Le parallèle avec la tragédie grecque et la notion d'un destin à peine entrevu qui ne devient clair pour le héros qu'au moment de sa destruction ne devraient pas nous faire oublier les attaches profondes de la position morale du réalisateur. La métaphore du « destin » n'est pas au centre de cette position, elle n'est qu'un cadre, un artifice mettant en valeur les véritables responsabilités du personnage. Si l'œuvre de Welles est profondément rhétorique, elle l'est sur le mode de l'ironie, non de la propagande. Il s'efforce, dans *le Procès* par exemple, de rendre capable d'héroïsme le personnage le plus minable qu'il puisse imaginer. Kane n'est jamais si charmant que lorsqu'il est le plus condamnable moralement – quand il déclenche une guerre ou tourmente d'innocents citoyens avec une morgue séduisante – ni jamais si pitoyable que dans ses moments de tendresse. Pour Welles, qui en est amplement pourvu, l'autorité, le charme et l'intelligence représentent plutôt des tentations morales que des vertus. Le pouvoir, et les angoisses dont il s'assortit, font plus que masquer l'impossibilité de vivre une vie émotionnelle simple et équilibrée, ils font basculer le héros wellesien du domaine de la compensation futile à celui de la brutalité gratuite. D'où son horrible sentiment de culpabilité – qui n'est pas le regret sentimental de n'être point parfait mais la conscience que la vulnérabilité émotionnelle sert d'excuse à une méchanceté de plus en plus appuyée, une obsession qui renvoie ses causes dans des zones de plus en plus profondes du subconscient et nécessite une hypocrisie toujours plus grande.

La création du mythe n'est donc pas seulement destinée par le héros wellesien à dissimuler, à soi-même et aux autres, ses faiblesses morales ; elle permet aussi la création d'un système commode de justification de ses actes. Kane s'autorise à trahir son amitié parce qu'il se suffit à lui-même en tant que légende, mais il existe une cause plus profonde qu'il ne reconnaît pas et qui sera finalement sa perte. Il se trompe lui-même en voulant croire qu'il est victime de sa propre légende et n'est plus responsable (présence du déterminisme), de même que Joseph K. dans le *Procès* se donne des excuses en se présentant comme la victime d'une conspiration universelle. Il n'est confronté à sa propre culpabilité qu'au moment où l'imposture est dévoilée. Le schéma est répété chez tous les héros de Welles, dont la mélancolie et la lucidité vont croissantes, jusqu'à ce que dans *Falstaff* le masque de simulacre devienne douloureusement candide. Falstaff est plus que le héros de la tragédie ; il semble porter en lui l'âme du tragédien. Menteur, il ne s'attend pas à ce qu'on croie ses mensonges et les exagère donc jusqu'à les rendre absurdes. Ses mensonges n'en sont plus : ce sont des confessions désespérées.

Le paradoxe, inévitable, est poussé à l'extrême dans *Une Histoire immortelle,* le film de Welles le plus intimiste et le plus théâtral à la fois. Welles est le plus théâtral des metteurs en scène de cinéma : il l'est davantage encore que Cukor, Ophüls ou Bergman. Sa double présence, en tant qu'auteur et en tant que héros, est essentielle à son œuvre. *Le Procès* pâtit de la distance excessive et suffocante établie par Welles entre son héros et lui-même ; il y apparaît comme la Némésis du héros, et la rhétorique morale empêche pratiquement le spectateur d'éprouver la moindre sympathie pour le personnage. Dans *La Splendeur des Amberson,* le seul film de Welles dans lequel il ne joue pas, le héros nous fait tellement penser à lui que la métamorphose en est facilitée. Lorsque Welles apparaît sur l'écran, il ressent la nécessité d'accompagner sa présence de distorsions baroques de la réalité. Dès qu'il se met en scène, le temps réel n'existe plus. Nous connaissons toujours la source de la distorsion ; depuis le tout début de sa carrière, Welles a toujours montré avec ostentation combien il maîtrisait son outil. Dans son théâtre de marionnettes, il prêtait sa propre voix aux personnages. Etait-ce là un jeu de petit garçon ? Dans *Le Procès,* non seulement il interprète le rôle de l'avocat mais fait office de narrateur et double les voix des onze autres personnages, produisant ainsi une inquiétante impression d'ubiquité. Dans ses pièces radiophoniques, il interrompt fréquemment le récit pour introduire des commentaires à la fois sur les personnages et sur la radio en tant que moyen de communication. Sur scène, il s'est maintes fois donné le rôle d'un meneur de revue comique ; quand il mit en scène une version

Le Procès, *Anthony Perkins* dans le rôle de *Joseph K.*

musicale du *Tour du Monde en quatre-vingts jours,* il faisait au pas de course le tour d'un évier de cuisine pour bien souligner qu'il n'avait pas renoncé à ce rôle.

Dans tous ses films, Welles fait sentir sa présence à travers l'œil de la caméra, devient un personnage à part entière. Dans le script du *Cœur des Ténèbres,* son premier projet pour Hollywood, il faut prendre cela au pied de la lettre – c'est la caméra qui devait être Marlow. Dans *Citizen Kane,* la caméra cache avec son ombre le reporter dont on ne voit jamais le visage. Les mouvements complexes de la caméra et les plans-séquences si caractéristiques de Welles nous aident à plonger dans les ironies labyrinthiques de son univers. La caméra devient public ; le raffinement des mouvements de caméra, l'absence de raccords – qui entraîne une moindre distanciation entre personnage et public – nous aident à saisir davantage son rapport changeant aux personnages – et donc le nôtre. Voici ce que dit Welles : « Mes films sont plus l'histoire d'une quête que celle d'une poursuite. Rien ne vaut un labyrinthe si on part en quête de quelque chose. Je ne sais pas pourquoi mes films, pour la plupart, prennent la forme d'une

13

quête physique, mais c'est un fait. » La raison en est peut-être qu'il s'agit aussi d'une quête morale, d'une enquête menée par le public pour connaître la vérité quant au héros légendaire.

Tout en se réservant la liberté d'utiliser le montage rapide qui permet de procurer l'impression d'une proximité physique (comme dans la séquence de la bataille dans *Falstaff*) ou de donner un commentaire intellectuel de l'action (comme dans la séquence finale de *la Soif du Mal*), Welles a tendance à prolonger aussi longtemps que possible la tension qui s'est installée entre les personnages et la caméra de façon à recréer plus ou moins l'intimité du rapport théâtral. Le plan-séquence, comme l'utilisation de la profondeur de champ, dont Welles est friand, nous aide à nous convaincre de la réalité dramatique de la scène – ce qui est un contrepoint nécessaire à la distanciation morale – de même qu'en respectant l'unité spatio-temporelle, il étaie l'unité morale de la scène. Si les émotions et les idées sont présentées dans cette dernière de façon très dialectique, comme c'est le cas, dans *Kane,* avec la scène de la neige, très longue et ininterrompue, ou dans *la Soif du Mal,* avec les tortueuses scènes d'interrogatoire, l'unité de la mise en scène fonctionne comme métaphore de l'inévitable coïncidence des actions. La caméra crée un labyrinthe moral dans lequel doivent se débattre des personnages ironiquement inconscients de la profondeur de leur dilemme. Un excellent exemple en est le long travelling qui, dans les *Amberson,* accompagne George et Lucy lorsque ceux-ci se querellent dans leur voiture. Quoique nous soyons témoins des sentiments des personnages (que nous nous « identifiions » à eux), la caméra, s'approchant et s'éloignant constamment, établit une distance entre eux et nous. Cette distorsion, ce mouvement en contrepoint entre l'acteur et la caméra, ce montage *interne au plan,* aide à expliquer le mélange de compassion et d'ironie qui traverse tous les films de Welles.

Si l'on pouvait définir Welles (ne le faisons pas, puisqu'il laisse avec ses films un héritage bien supérieur à toute notice nécrologique), ce devrait être par des termes antithétiques. Comme son ami Jean Cocteau l'a dit admirablement : *« Orson Welles est une manière de géant au regard enfantin, un arbre bourré d'oiseaux et d'ombre, un chien qui a cassé sa chaîne et se couche dans les plates-bandes, un paresseux actif, un fou sage, une solitude entourée de monde... »* De *Citizen Kane,* exploration de la légende qui révèle combien il est illusoire d'espérer trouver une définition de celle-ci, à *Falstaff* et à *Une Histoire immortelle* qui transforment l'idée de la légende en un monstrueux et mélancolique jeu d'esprit, Welles n'a cessé de nous enchanter avec le spectacle d'un être merveilleux qui se raille et s'exalte lui-même à la fois. Dans un monde qu'ont déserté les dinosaures et les empereurs, un monde qui se rétrécit sans cesse, Orson Welles a survécu pour nous faire partager la jubilation infinie d'être soi-même.

2. Rencontre avec Orson Welles.

Ah ! Orson. C'est avant tout un enfant... On se fait toujours du souci quand on aime Orson Welles, parce qu'on ne sait jamais où il est. Il disparaît, on ne sait pas où il est et il est presque impossible de le retrouver : sa vie est si compliquée... De plus, on sait que cet homme immense et fort est facile à aimer, qu'il est très fragile et qu'il est très facile de lui faire du mal... Alors on l'aime et on veut le protéger. Et s'il téléphone pour dire « J'ai besoin de toi », on se dit « Orson a besoin de moi : ça doit être grave ». Il fait une étrange carrière : il est capable de choses si belles et en même temps il lui est si difficile de tourner en ce moment qu'une fois qu'il en a la possibilité, on ne voudrait pour rien au monde être le grain de sable qui fausse tout l'engrenage. C'est, je crois, la raison pour laquelle nous nous comportons tous de la sorte envers lui.

Jeanne Moreau.

Durant les quatre années que m'a pris la rédaction de ce livre, Welles était toujours « quelque part en Europe » et je n'ai donc jamais essayé d'obtenir un rendez-vous. Mais lorsque l'ouvrage a été pratiquement terminé, durant l'été 1970, j'ai appris qu'il était à New York. Malheureusement il était déjà parti quand ma lettre est arrivée. Après cela, il devait venir à Chicago, mais il n'est jamais venu. Je commençais vraiment à me demander si Orson Welles n'était pas le pseudonyme d'Howard Hugues. En août je me rendis à Hollywood (le dernier endroit où j'aurais pensé trouver Welles !) afin d'interviewer John Ford et Jean Renoir, qui sont mes deux autres réalisateurs préférés. J'allais repartir d'Hollywood quand on me dit que Welles se trouvait à deux ou trois kilomètres de là, car il apparaissait à la télévision dans l'émission de variétés de Dean Martin.

Je pris le téléphone et l'appelai. Il m'invita à déjeuner, me signalant qu'il était prêt à commencer le tournage de son prochain film, *De l'Autre Côté du Vent*. Voudrais-je y participer ? Je fus sidéré, mais je répondis que, bien sûr, ce serait merveilleux. Il m'expliqua qu'il emmènerait l'équipe à Tijuana le dimanche après-midi suivant : il désirait filmer des scènes où le héros, un réalisateur d'âge mûr, entouré de ses jeunes admirateurs, assistait à des corridas – il s'agissait de tests destinés à lui permettre de rassembler les fonds dont il avait besoin pour tourner le film. Je me souvins d'une histoire semblable dont il avait voulu faire un film, *Les Animaux sacrés,* quelques années auparavant. Celui-là serait un « remaniement » du précédent scénario, me confia-t-il.

Après avoir passé une soirée à discuter des mystères de la carrière de Welles avec Peter Bogdanovich, le jeune auteur-réalisateur qui a écrit en collaboration avec lui un recueil d'interviews, *Orson Welles par lui-même,* je me rendis dans la maison que Welles louait sur les hauteurs de Los Angeles. Assis à sa machine à écrire dans le salon, Welles était enveloppé dans une imposante robe de chambre de soie blanche, qui le faisait ressembler à un ours blanc. Je guettais son rire – son fameux rire tonitruant, intimidant et qui donne des frissons quand on l'entend au cinéma – mais lorsqu'il vint je fus surpris. Le rire démarre lentement et Welles jette un coup d'œil vers son interlocuteur pour juger de l'effet qu'il produit sur lui. Si la réaction est bonne (comment pourrait-il en être autrement ?) son rire, s'amplifiant et prenant de la puissance, tel un cyclone, déforme les traits de son visage jusqu'à le dissoudre en un masque d'extase falstaffienne. Pourtant c'est un rire engageant – et non pas intimidant – car Welles ne cesse d'observer son interlocuteur du coin de l'œil.

Il prit dans une boîte posée sur le piano des cigares wellesiens de plus de vingt centimètres de long (pour autant que j'aie pu en juger) qu'il offrit à ses visiteurs. Si l'on était assez téméraire pour refuser, il insistait. Et bientôt quatre ou cinq Orson miniatures arpentèrent la maison. Quant à moi, j'allumai mon cigare et m'assis pour m'entretenir avec un homme qui, quelques heures auparavant, n'était à mes yeux qu'une figure légendaire.

Welles s'amusa à détruire mes illusions. Il se gaussa de mon insatiable passion pour le cinéma. « Le cinéma en tant que tel ne m'a jamais fait rêver comme ont pu le faire la magie, la tauromachie ou la peinture, dit-il. Après tout, le monde existait bien avant qu'on commence à aller au cinéma. » Je lui répondis qu'il avait donné sa vie pour le cinéma, mais tout en le disant je m'aperçus que c'était le contraire ; le cinéma n'avait servi qu'à nous le donner, lui.

Orson Welles.

Nous avons parlé un certain temps des aléas de la production et de la distribution, puis il s'attaqua à une autre de mes illusions. Je lui demandai pourquoi, ces dernières années, ses films perdaient de plus en plus la prolixité qui les caractérisait dans sa jeunesse. Se pouvait-il qu'il s'approchât d'une sorte de sérénité ? « Non, l'explication est simple, répondit-il. Tous les grands techniciens sont morts ou le seront bientôt. On ne peut plus se procurer de nos jours un opérateur sensationnel comme celui que j'ai eu pour *La Soif du Mal*. John Russel – c'était lui – est maintenant chef éclairagiste. Je dois faire avec ce que je trouve. » Ma théorie ne valait plus grand-chose. Tant pis !

En regardant Welles travailler le lendemain, je saisis quelque chose de lui, que j'avais toujours su, mais que je n'avais jamais vraiment compris. Il vit pour le seul instant présent. Il attache beaucoup d'importance à chaque aspect de son travail, il saute sur chaque occasion d'ajouter un élément nouveau, inattendu, à son idée initiale. Il m'affirma que le cinéma doit garder quelque chose de brut. Je lui demandai s'il travaillait sur le script de *De l'Autre*

17

Côté du Vent quand j'étais arrivé, et il me répondit en riant qu'il n'existait pas de script : le film serait entièrement improvisé. Voyant ma surprise il m'indiqu'a que s'il se conformait au scénario qu'il avait écrit, le film durerait neuf heures ; il avait donc mis de côté ce scénario qui était plutôt un roman. « Je vais improviser à partir de tout ce que je sais des personnages et des situations », dit-il. A côté de sa machine à écrire se trouvait une grosse boîte en carton pleine de fiches.

De retour à mon hôtel cette nuit-là je fus en proie à une grande agitation. Ma seule expérience d'« acteur » se résumait à une apparition dans un de mes propres films, au demeurant ratée parce qu'ayant mal évalué la profondeur de champ, je m'étais trop approché de l'objectif et de ce fait, n'apparaissais sur l'image que comme une tache floue. On m'avait vu aussi dans deux films du genre cinéma-vérité, *Primary* de l'équipe Leacock-Pennebaker-Maysles et *Prologue* de Robin Spry, mais il s'agissait de documentaires politiques sur des événements dont je n'étais qu'un spectateur (un discours de Jack Kennedy et la convention de Chicago). J'imagine que j'aurais dû être terrifié mais je ne pouvais penser qu'à une chose : on allait bien s'amuser.

J'appris cependant le lendemain qu'il serait impossible de tourner à Tijuana, un vague décret gouvernemental interdisant de passer la frontière avec une caméra. Nous nous retrouvâmes donc chez Welles pour filmer une scène d'anniversaire où Jake Hannaford, le réalisateur héros du film est assiégé par les hommes des médias. « L'astuce, expliqua Welles, réside dans le fait que les médias qui, au début, le prennent, lui, comme objet de reportage, finissent par faire un reportage sur eux-mêmes. » C'est, pour-rait-on dire, l'histoire de son crépuscule. Voilà tout ce dont il en retourne. Welles s'assit avec Bogdanovich et moi-même, en compagnie de deux autres jeunes cinéastes, Eric Sherman et Felipe Herba, qui avaient été recrutés pour le film. Très enjoué, il nous décrivit nos rôles – Bogdanovich jouerait celui d'un individu débrouillard, boursier d'université qui ne quitterait pas Hannaford un instant dans le but de rassembler des interviews, pour écrire un livre sur lui ; je serais un pédant, un cinéphile qui débiterait des citations stupides tirées de mon livre sur Hanna-ford ; Sherman et Herba incarneraient le tandem blasé d'une équipe de cinéma-vérité (Welles les appelait les frères Maysles) occupés à réaliser un documentaire sur le grand homme. Welles avoua ne pas savoir encore qui jouerait Hannaford ; dans les scènes d'aujourd'hui nous parlerions donc sans interlocuteur (ce qui soulignerait sans doute l'isolement du héros face à ses adulateurs).

Welles nous demanda, à Bogdanovich et à moi-même, de commencer par lui poser des questions ineptes qui puissent être utilisées durant le tournage. Bogdanovich demanda s'il devait paraître efféminé, et il fut décidé du contraire ; il devait être agité, comme Jerry Lewis, il se mit à caqueter comme son modèle, et Welles, tout en lui donnant vivement la réplique, corrigea ses intonations, lui fit moduler sa voix. Je proposai ma théorie préférée selon laquelle tous les films de Ford depuis 1939 reflètent les mutations de la société américaine. Welles me questionna sur la façon dont je pourrais la développer et me recommanda de ne pas forcer sur l'aspect parodique. Il finit par se mettre au clavier de sa machine à écrire et nous concoctâmes le monologue suivant (la version finale est de Welles). « Le point capital de ma thèse, voyez-vous, est que durant les années trente le thème majeur d'Hannaford était l'absurde conflit du marginal en butte à la société. Dans les années quarante le marginal gagne son salut. Dans les années cinquante... » C'est alors que Bogdanovich m'interrompait avec son : « Au diable les années cinquante. Ouvrez la bouteille de whisky. » Welles rugissait de plaisir ; et prenez ceci, messieurs les critiques !

Pendant une demi-heure nous avons réfléchi sur des questions ridicules de ce genre, puis je suggérai de poser des questions à Hannaford sur l'œuvre de Dziga Vertov. Welles s'écria : « Qu'est-ce qui vous prend ! Qui c'est ça ? ». « Dziga Vertov, le réalisateur russe des années vingt, répondis-je, celui qui tournait les films d'actualité *Kino-Pravda*. » Welles rit beaucoup de mon idée avant de l'écarter. « Bon, ça suffit, me dit-il, tu es censé jouer un personnage sérieux. » Finalement, j'eus droit tout de même à une question Vertovo-godardienne. Je demanderais à Hannaford, sur le siège arrière de sa voiture : « Monsieur Hannaford, l'œil de la caméra est-il le reflet de la réalité ou la réalité le reflet de l'œil de la caméra ? En bref, la caméra est-elle le phallus ? »

Je commençais à apprécier pleinement chez Welles son sens de l'humour qui, étant si souvent recouvert par l'enveloppe rhétorique dont sont parés ses personnages, échappe habituellement lorsqu'on analyse ses films. Quand débuta le tournage, je pus me rendre compte par moi-même du plaisir physique qu'il prend à être metteur en scène. Réduite à quatre personnes officiellement, sa jeune équipe rassemblait en fait les douze personnes présentes qui intervinrent chacune à un moment ou à un autre et passèrent même devant la caméra, y compris le serviteur de Welles.

Le metteur en scène semblait se régaler des plans − brefs et plutôt simples − qu'on tournait ce jour-là caméra au poing. Je compris très vite qu'il ne s'agissait pas pour moi d'être bon ou mauvais, mais seulement d'être moi-même, puisque le personnage que j'incarnais était un imbécile. La détente et le comique étaient à l'ordre du jour et le brio de Welles démentit la croyance selon laquelle tourner une comédie est une tâche sévère. Mais ce n'était pas facile pour autant. « Maintenant vous comprenez ce que les acteurs endurent » me dit Welles quand il m'entendit pousser un soupir après avoir fait rater la septième prise du même plan. Plus bouffon que les bouffons, j'étais harnaché jusqu'aux dents d'accessoires − magnétophone, caméra muette, manteau sur le bras, fiches débordant de la poche de ma chemise et une énorme bouteille de whisky. Je m'excusai d'être si maladroit avec mes accessoires, mais Welles, rassurant, me dit qu'il n'avait jamais connu qu'un seul acteur au monde capable de faire face à tant d'accessoires : Erich Von Stroheim. Un détail venait compléter mon allure surréaliste : Bogdanovich, le soir où j'étais allé chez lui, avait remarqué sur mon poignet des notes que j'y avais gribouillées dans le noir lors d'une projection du *Satyricon* de Fellini à laquelle j'avais assisté ce jour-là. Welles me dit que dans le film je devrais avoir le bras recouvert de notes telles que « Complexe d'Oedipe », « Fixation à la mère », et ainsi de suite. Après le tournage, il insista, paternel, pour que je fasse disparaître toute trace des inscriptions − bien que je n'eusse plus la force de soulever une savonnette.

Welles tourna vingt-sept plans en douze heures de tournage. Il était fascinant de voir comment, à partir de la simple ossature du dialogue, il parvenait à sculpter chaque plan. Par exemple, pour le discours pontifiant sur les diverses phases de la carrière d'Hannaford, on tourna deux plans, dont le second nécessita quatorze prises. Je commençai à comprendre ce que Welles avait dit un jour sur sa façon de concevoir la direction d'acteurs : « Je leur donne beaucoup de liberté et, en même temps, l'amour de la précision. C'est une combinaison étrange. En d'autres termes, en ce qui concerne leur maintien et leurs évolutions, j'exige le genre de précision qu'on trouve dans le ballet. Mais ce sont leurs idées autant que les miennes qui façonnent leur jeu. Lorsque la caméra tourne, je n'improvise rien de l'aspect visuel du travail. Dans ce domaine, tout est préparé. Mais je laisse aux acteurs une entière

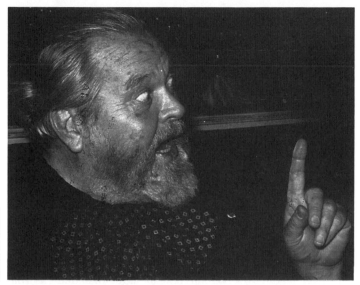

Orson Welles à Paris en février 1982. (Photo Serge Cohen).

liberté et fais en sorte de leur faciliter les choses. » Welles prépara
le premier plan de la scène, pour le décor duquel il choisit un mur
nu, un canapé et une table. L'éclairage ne devait pas être des plus
raffinés puisqu'il s'agissait d'une réunion mondaine à laquelle
participaient des caméramen munis de leur propre matériel. Assis
devant sa machine à écrire dans un siège aux allures de trône,
(c'est un film d'auteur, n'oubliez pas !) Welles intervint directement dans le choix des éclairages, priant Gary Graver, son
cameraman, de supprimer un éclairage trop sophistiqué, qu'il
avait élaboré sans l'avis du metteur en scène. Il demanda
cependant à Graver d'installer une lumière derrière la porte de la
chambre à l'arrière-plan de façon à créer des ombres en dents de
scie sur le sol. « C'est le seul effet que je veuille dans ce plan », dit-
il. Tournant ensuite vers Bogdanovich un regard plein de malice,
il murmura : « Von Sternberg... » Welles vérifia les éclairages
rapidement et efficacement, sans laisser un moment de répit à
Graver (qu'il appelait « Rembrandt »).

Bogdanovich et moi répétions notre scène et Welles nous
interrompit pour nous donner des indications. La scène s'ouvrirait

21

sur l'image d'une main qui, venant de la gauche de la caméra, tendrait la bouteille de whisky ; tandis que je parlerais, on entendrait des bribes de dialogue. Au cours d'une prise de son, plus tard, quelqu'un intervint pour dire qu'on entendait plusieurs dialogues simultanés, et Welles rétorqua : « Nous enregistrons toujours plusieurs dialogues simultanés ». Bogdanovich était censé ignorer totalement mes élucubrations. Lorsque je dirais « Durant les années trente... », il me prendrait le magnétophone des mains et me tendrait la bouteille en me demandant de l'ouvrir. Je demanderais : « Et comment ? » Pendant ce temps, le jeune domestique, une caméra au cou, et en train de manger un blanc de poulet, s'approcherait, depuis le fond, et passerait devant nous ; Bogdanovich lui demanderait : « Où est Andy ? » mais la question resterait sans réponse, le garçon étant drogué.

Bogdanovich me dirait ensuite : « Il y a un bouchon, non ? » et en regardant la bouteille, je verrais que non. Les frères Maysles, engagés tout ce temps dans une conversation à l'arrière-plan, se mettraient alors à s'agiter dans toutes les directions, munis de tout leur équipement, à la recherche d'un plan à tourner. Alors que je me remettrais à discourir, l'assistant des Maysles (celui de Graver en réalité), lancé à leur poursuite, ferait irruption entre nous, une caméra muette à la main et un flash dans l'autre. Bogdanovich m'interromprait (« Mi-Jerry Lewis, mi-Noël Coward », précisa Welles) avec les mots : « Au diable les années cinquante. Ouvrez la bouteille de whisky. » A cela s'ajouta que la bande de mon magnétophone sauta quand je le passai à Bogdanovich durant une répétition, et que Welles voulut absolument utiliser l'incident dans le film. Et il fallut donc répéter pour apprendre à faire sauter la bande.

Enfin nous fûmes prêts. La première partie de la séquence – jusqu'à l'échange de la bouteille et du magnétophone – prit assez peu de temps. Welles annonça qu'il désirait couper pour introduire un autre plan, et reprendre la même scène en nous filmant en plan américain. Mais lorsque nous commençâmes à tourner la seconde partie de la séquence, tout alla de travers. Je massacrais mon texte, Bogdanovich mettait trop de temps à trouver ses répliques, le garçon qui mangeait son poulet mettait trop de temps à arriver devant nous, les frères Maysles se mettaient à courir au mauvais moment... Après l'échec complet de plusieurs prises, une autre réussit soudain. Le rythme ne correspondait pas à ce que Welles avait prévu. Aucun mouvement, aucune réplique n'était à sa place, mais l'ensemble fonctionnait. Welles dit qu'il utiliserait peut-être cette prise mais que nous l'obligerions si nous consentions à reprendre la scène, à sa manière cette fois, Bogdanovich et moi nous nous mîmes à discuter frénétiquement des diverses manières d'améliorer le plan jusqu'à ce que Welles nous imposât silence. « Les acteurs se rebellent, dit-il. Que voulez-vous ? ». Intimidés, nous nous tûmes. « Tout va bien alors, reprit-il. On recommence, n'est-ce pas ? » Il ne nous fallut pas plus d'une heure pour terminer.

On passa le reste de la journée à filmer dans diverses parties de la maison des scènes où les journalistes assaillaient Hannaford avec leur équipement et, dans les rues de Los angeles et de Beverly Hills, des scènes hilarantes à l'intérieur d'une automobile et le long de son parcours. Welles nous demanda d'aller tourner sans lui les scènes à l'intérieur de la voiture, alléguant qu'il serait plus intéressant que nous lui présentions directement le résultat de notre travail, effectué en suivant ses indications. « C'est ce que j'ai fait dans une séquence de *La Soif du Mal*. Vous vous souvenez du grand angle où on voit les deux hommes conduire dans la rue ? Il n'y avait ni preneur de son, ni caméraman, ni metteur en scène. » Je demandai où se trouvait la caméra. « Attachée sur le capot », me répondit Welles, triomphant, avec un large sourire.

Dans l'avion qui me ramenait chez moi ce soir-là, je passai en revue les événements de ces dernières heures. Il n'y avait pas quatre jours que Renoir m'avait dit que pour me faire une idée de ce qu'était la mise en scène, il me faudrait m'improviser comédien (il voulait dire dans des films amateurs). A présent je ne regardais plus par-dessus l'épaule de Welles, je commençais à le regarder droit dans les yeux. Mon sujet était descendu du piédestal que je lui avais construit et, curieusement, il ne m'en semblait que plus grand. Comme l'avait dit son cameraman, sur un ton admiratif, à la fin de la journée de tournage : « Welles sait prendre des risques. »

3. Les années d'apprentissage.

Welles tait volontiers son expérience cinématographique pré-hollywoodienne, préférant sans doute qu'on pense qu'il a atteint la perfection dès ce qui serait sa première tentative, *Citizen Kane*. A un journaliste qui lui demandait récemment comment il était parvenu aux « innovations cinématographiques » de *Kane*, il répondit d'un air absent : « Je le dois à mon ignorance. Si le mot vous semble inadéquat, remplacez-le par innocence. » Mais Welles était loin d'être alors un cinéaste innocent. On a déjà parlé ici et là – sans que les filmographes n'y prêtent vraiment attention – d'un film qu'il a tourné en 1938 pour une pièce de théâtre jouée au Mercury Theatre, la farce de William Gillette, *Too Much Johnson*. Ce film ne fut en fait jamais montré au public, Welles ayant décidé de ne pas présenter la pièce à Broadway après la traditionnelle tournée d'essai en province. On dit qu'il avait tourné un prologue muet de vingt minutes et deux films de dix minutes qui devaient introduire le deuxième et le troisième acte. Dans la distribution se trouvaient Joseph Cotten, Edgar Barrier, Marc Blitzstein et Virginia Nicholson, la première femme de Welles, et le film racontait comment, dans les années 1890, un New-Yorkais noceur était poursuivi à Cuba par le mari de sa maîtresse.

Malheureusement, l'unique copie a brûlé avec plusieurs manuscrits jamais publiés et des scripts jamais utilisés, durant l'incendie qui détruisit la villa de Welles à Madrid en 1970. Welles prit très bien les choses et lorsque je le rencontrai trois semaines plus tard, il me dit : « C'est sans doute une bonne chose. Je n'ai jamais beaucoup tenu aux objets, mais au fil des ans j'en ai accumulé un certain nombre. A présent je peux dire à tout le monde que ces scripts étaient excellents ! Dommage que tu n'aies pas vu *Too Much Johnson* cependant. C'était un beau film. Nous y avions créé une sorte de rêve cubain à New York. Je l'ai vu il y a quatre ans et la copie était impeccable. Je ne l'avais jamais monté, tu sais. Je voulais le faire et l'offrir à Joe Cotten en guise de cadeau de Noël, une année, mais je ne l'ai pas fait. » Welles avait aussi tourné un prologue pour sa revue *The Green Goddes,* en 1939, où il représentait un accident d'avion dans l'Himalaya, précise son associé Richard Wilson. Mais toute trace en a disparu.

En revanche j'ai eu la chance de dénicher dans une collection privée le tout premier film d'Orson Welles, un petit film muet extrêmement intéressant, *The Hearts of Age,* qui dure quatre minutes et est interprété par Virginia Nicholson et Welles lui-même. J'ai pu voir la copie originale en 16 mm ; c'était jusqu'à une date récente la seule disponible. Elle a été léguée, parmi d'autres pièces de la collection Vance, à la Bibliothèque municipale de Greenwich dans le Connecticut. Malgré l'horrible cliquetis des raccords, elle était en parfait état, et l'excitation de la découverte effaça les appréhensions que j'avais eues avant de la projeter. L'Institut du film américain a maintenant accès au film et la Bibliothèque du Congrès possède un négatif tiré de la copie ainsi qu'une deuxième copie que peuvent consulter les chercheurs. (On peut également consulter une copie à la Bibliothèque de Greenwich).

Le générique ne mentionne que le titre et le nom des acteurs, mais il est de la main de Welles . Le film a été réalisé durant l'été de 1934, (Welles avait 19 ans), pendant le festival qu'il organisa lui-même à la Todd School de Woodstock, dans l'Illinois, dont il était sorti trois ans plus tôt. William Vance faisait une brève apparition dans ce court métrage qu'il avait d'ailleurs produit et co-réalisé. Vance, qui réalisa et produisit plus tard des émissions publicitaires télévisées, était étudiant à l'époque. J'ai également eu l'occasion de voir l'adaptation de dix minutes de *Docteur Jekyll et Mister Hyde* qu'il tourna en 1932 et dans laquelle il tient le rôle principal ; ce n'est rien de plus qu'une tentative d'étudiant, maladroite et plutôt ridicule. *The Hearts of Age* est d'un tout autre niveau. Welles a beau dire que c'est un film amateur, on y trouve déjà une préfiguration de son œuvre future, l'étrangeté de certains plans annonçant *Citizen Kane* et prouvant, plus encore que *Citizen Kane,* à quel point Welles a été influencé par l'expressionnisme allemand. Même si le travail de la caméra laisse parfois à désirer (surtout lorsque Welles n'apparaît pas sur l'écran), les éclairages sont souvent très beaux et le manque de cohérence de l'ensemble est presque compensé par l'humour de la prestation de Welles.

Celui-ci se moqua de moi gentiment parce que je prenais le film au sérieux ; pour lui ce n'était qu'une citation du *Sang d'un Poète,* une parodie de toute l'école surréaliste. Il y joue le personnage d'un vieillard, une image de la mort apparemment, dans laquelle je croyais reconnaître le premier signe de sa fascination pour le vieillissement et la corruption de la chair. Mais il existait une explication plus simple : il copiait l'apparence du médecin dans *Le Cabinet du Docteur Caligari.* De toute façon, ce film ressemble aux courts métrages d'avant-garde de l'époque. Le mouvement surréaliste ayant lui-même été en grande partie une vaste raillerie dirigée contre l'art officiel, il est souvent difficile, dans un film tel que *Les Mystères de l'Ile de Ré* de Man Ray, de faire la part de l'emphase et de la parodie. Nous aurions tort de voir dans *The Hearts of Age* plus qu'un exercice de jeunesse, mais jusque dans ses emprunts à d'autres films, s'y affirme déjà un style personnel, vigoureux et débridé. Il faut nous souvenir que *Citizen Kane* également, est le produit d'un éclectisme de jeunesse. C'est ce qui lui confère une part de son charme, sa force, comme celle des premiers films de la « nouvelle vague », provient de l'intégration de styles hétéroclites à l'intérieur d'un cadre cohérent, dont chaque aspect est utile au récit. Dans *The Hearts of Age,* Welles, à l'instar de nombreux jeunes artistes, devait donner libre cours à son instinct parodique et ludique avant de pouvoir créer une œuvre cohérente vraiment originale.

Le début de l'histoire paraît extrêmement confus. Sur la première image on voit tourner sur elle-même une boule de Noël (déjà *Kane* !), dont on retrouve plus tard le souvenir dans un globe que caresse, tout en traversant l'écran, une silhouette drapée de blanc. Suit un montage (beaucoup trop rapide, avec ce projecteur qui tourbillonne) de cloches qui sonnent ; sous l'influence du *Nosferatu* de Murnau, certains plans sont filmés en négatif. On voit ensuite une vieille dame (Virginia Nicholson, outrageusement grimée) qui se balance d'avant en arrière. La caméra, maniée avec une douceur qui ne rappelle en rien les mouvements saccadés de *Docteur Jekyll et Mister Hyde,* recule lentement pour suggérer qu'elle est montée à califourchon sur une cloche. Les plans suivants nous la montrent juchée sur un toit tandis qu'un homme au visage peint en noir, portant perruque et vêtu d'un costume de garçonnet à passementeries et, de façon surprenante, de knickers de footballeur, tire sur la corde de la cloche. Survient un nouveau plan de la boule de Noël, puis l'image inclinée d'une pierre tombale derrière laquelle se meuvent lentement trois ombres allongées, et enfin on nous montre, penché dans l'autre sens, un graveur sur marbre qui agrippe la pierre.

L'ombre d'une main agite l'ombre d'une clochette dans un éclairage flou strié d'ombres entrecroisées ; ce qui nous rappelle qu'à l'âge de dix-neuf ans Welles avait déjà participé en tant que metteur en scène et éclairagiste à plus d'une vingtaine de pièces de théâtre, avec la troupe amateur de la Todd School et à Dublin, où il avait joué en compagnie des acteurs de l'Abbey Theatre et du Gate Studio, pour lequel il avait également mis en scène une pièce. Rien, dans *Docteur Jekyll,* ne vaut l'éclairage de ce film-là. La clochette tombe pesamment sur le sol dans le plan suivant où elle n'est plus une ombre, puis on en revient à la vieille femme toujours montée à califourchon sur sa cloche, ses traits sont déformés par un rictus douloureux alors que l'homme au visage peint en noir continue de tirer sur la corde de toutes ses forces. La femme ouvre un parapluie (signe de l'admiration de Welles pour

Citizen Kane, *Orson Welles et Joseph Cotten.*

Citizen Kane, *Joseph Cotten, Orson Welles et Everett Sloane.*

Keaton, qui s'amusait à ouvrir son parapluie même quand il ne pleuvait pas). Vient ensuite un plan rapproché d'une main faisant tourner le globe, puis un plan remarquable, digne de Murnau : l'image, dangereusement oblique, d'une pierre tombale sur laquelle glisse l'ombre (blanche car il s'agit d'un plan en négatif) d'une main dont l'index fait un signe, tandis qu'une main, réelle celle-ci, suit le rebord de la tombe. L'image suivante est celle d'un clavier de piano, puis Orson Welles ouvre une porte donnant sur un escalier délabré.

La première apparition à l'écran d'un monstre sacré suscite toujours un sentiment étrange chez celui qui la redécouvre par hasard. Ici, il y a plus que le fait de reconnaître Orson Welles, le choc vient de ce qu'on croirait assister à l'apparition fulgurante d'une idée platonicienne. Nous devenons les spectateurs privilégiés d'un événement important. Chaque pas, chaque geste est lourd de sens et de hasard parce qu'il joue la naissance d'une légende. Quelquefois, nous sommes surpris, quand nous voyons Chaplin, par exemple, sans son costume de vagabond, mais avec un chapeau, interpréter un méchant doucereux. Sait-il ce que nous savons ? Ou sommes-nous témoins de ce moment extraordinaire où le grand secret est révélé ? Il y a bien sûr l'instant magique où Katherine Hepburn dans *A Bill of Divorcement (Hérédité)* descend rapidement mais majestueusement l'escalier, alors que la caméra de Cukor s'élance à travers une vaste pièce pour intercepter sa descente ; mais quelle serait notre réaction en voyant Garbo expliquer comment il ne faut pas s'habiller, dans un film publicitaire qu'elle a tourné pour le compte d'un grand magasin ? Avec un brio qu'on apprendra à reconnaître comme étant le sien propre, Welles metteur en scène diffère l'entrée de Welles acteur autant qu'il est nécessaire pour que le spectateur s'attende à quelque chose de spectaculaire, à une apparition qui requerra toute son attention.

Tous les doutes que nous pourrions avoir quant à l'assurance de Welles sont dissipés dès qu'il apparaît : paillard et minaudier, il porte un costume d'Irlandais de comédie, son visage est aussi grimé et grotesque que celui de la vieille femme et il porte un faux crâne chauve, agrémenté d'un postiche de clown tirebouchonnant à la hauteur des tempes. Il commence à descendre l'escalier en s'inclinant devant la vieille femme. Il porte déjà le chapeau haut de forme et la canne qui deviendront les objets fétiches d'autres personnages wellesiens tels que Bannister dans *la Dame de Shanghai* ou Mr Clay dans *Une histoire immortelle*. On le voit descendre l'escalier sous toute une série d'angles, dans des plans entrecoupés d'autres plans montrant la vieille femme qui le regarde d'un air sombre. Welles montre ensuite, par trois fois, son personnage descendant l'escalier, artifice assez commun mais qui est ici approprié dans la mesure où il souligne le caractère fatidique de son arrivée. On voit ensuite brièvement Mademoiselle Nicholson en gendarme de la Keystone et M. Vance en Peau-Rouge enveloppé dans une couverture (il adresse une grimace à la caméra), deux apparitions sans grand rapport avec le fil déjà ténu de l'histoire.

Il devient clair que le personnage interprété par Welles est une métaphore de la mort lorsqu'il vient troubler le repos de la vieille femme, que l'on voit à plusieurs reprises se balançant impertubablement sur un toit voisin – et quand il mime une strangulation à l'aide de sa canne, devant le personnage au visage peint en noir – un geste qui sera d'ailleurs utilisé vingt-cinq ans plus tard par Quinlan dans *La Soif du Mal*. L'action est alors interrompue par l'un de ces effets chers à Griffith et à Stroheim : une main déverse d'un coquillage des pièces de monnaie qu'un balai fait ensuite disparaître. (Plus tard on voit aussi une main jetant par terre un billet froissé de cinq dollars, mais aucun autre geste ne viendra s'ajouter à ceux-là pour leur donner un sens). La Mort apparaissant à la fenêtre lance des œillades et agite deux confiseries en forme de cœurs, bizarrement entrelacées. A leur vue, la vieille femme exaspérée se met à se balancer encore plus vivement. Après avoir montré la Mort qui sourit, Welles enchaîne sur un crâne, puis sur une corde qui se tend tout à coup, sur deux pieds qui pendent dans le vide, pour continuer sur la tête peinte en noir de l'homme à la clochette, à qui on a passé la corde au cou. On nous montre ensuite un dessin de l'homme à la clochette, pendu, avant qu'une main, pénétrant dans le champ de vision, ne vienne apposer dans un coin une clochette en guise de signature.

Par une étonnante transition, nous passons ensuite à une image de la Mort pénétrant dans une pièce plongée dans le noir (les enfers ?), un candélabre à la main. Devant la caméra qui penche dangereusement vers la droite, la Mort pose le candélabre sur le piano avant de commencer à jouer en tapant furieusement sur les touches. On pense au *Fantôme de l'Opéra*. Nous voyons les doigts s'approcher de plus en plus de la caméra puis, soudain, le pianiste fait une fausse note et s'arrête de jouer. Il pince ensuite les cordes, baissant la tête et prenant un air de faux sage pour tester les sons (Welles est criant de vérité dans cette scène). Lorsque la Mort se redresse, elle s'aperçoit que la vieille femme repose, morte, dans le piano. Ouvrant la banquette de piano, la Mort en retire non pas des partitions, mais une pile de plaquettes en forme de pierres tombales. Elle les bat comme des cartes à jouer et on y lit les inscriptions suivantes : « Repos éternel », « En paix », « Auprès du Seigneur », et « Fin » – la Mort laisse en évidence la plaquette sur laquelle est inscrit ce dernier mot. Elle se rasseoit au piano pour jouer, en proie à des mouvements frénétiques. Nous revoyons la sonnette, puis les mains sur le clavier. Et en dernier lieu la plaquette portant le mot « Fin ».

Après avoir refusé plusieurs propositions de Hollywood parce qu'on ne lui accordait pas un total contrôle financier et artistique, Welles signa un contrat avec RKO en 1939, en partie pour financer une réédition de son catastrophique *Five Kings,* une chronique shakespearienne, car il avait l'intention de retourner à Broadway après avoir terminé son premier long métrage, une adaptation du *Cœur des Ténèbres* de Conrad, dans lequel il devait jouer Kurtz et la caméra Marlow. Il en avait écrit le scénario en collaboration avec son partenaire du Mercury Theatre, John Houseman. Il aurait commencé le tournage en octobre 1939 (il avait déjà tourné quelques tests) si les difficultés financières occasionnées par la déclaration de guerre, et les réticences du studio devant la nature expérimentale du projet, n'en avaient repoussé indéfiniment la réalisation. Sans doute le coup de grâce fut-il asséné à Welles quand l'actrice autrichienne Dita Parlo, qui devait jouer le premier rôle féminin, fut internée en France.

Réduit à une inactivité forcée, Welles fut alors la proie de ses ennemis : on le considérait comme un prodige trop choyé et on lui reprochait à la fois son contrat lucratif et la barbe qu'il s'était laissé pousser pour jouer *Five Kings* et qu'il avait l'intention d'arborer dans *le Cœur des Ténèbres*. Cette barbe servit d'ailleurs de sujet à une histoire désopilante de F. Scott Fitzgerald, parue dans *Esquire,* dans laquelle le héros, un scénariste besogneux dit ceci : « Je ne serais pas surpris le moins du monde qu'Orson Welles se révèle être le plus grand danger qu'Hollywood ait connu depuis bien des années ! Il touche cent cinquante mille dollars par film et ça ne m'étonnerait pas qu'il révolutionne tout et qu'il faille renouveler encore une fois tout le matériel comme en 1928, quand il a fallu se convertir au parlant. » Un cascadeur coupa la cravate de Welles dans un restaurant, un agent de presse lui fit parvenir un jambon barbu pour Noël. Welles était furieux.

« Même si mes efforts se soldent par des échecs, déclara-t-il, je n'ai guère le temps de m'amuser. »

Il écrivait des scénarios, était responsable d'une émission de radio hebdomadaire à Hollywood et apprenait très vite à maîtriser tous les éléments de la technique cinématographique. Le président de la RKO, George J. Schaefer, qui soutenait Welles et qui, comme lui, fut victime de la purge de 1942, lui proposa de filmer, sans salaire, *The Smiler with the Knife,* tiré du roman policier de Nicholas Blake. Welles et Houseman se remirent donc au travail sur un nouveau scénario pour s'entendre dire plus tard que plusieurs vedettes féminines, dont Rosalind Russell et Carole Lombard, ne voulaient pas se risquer à tourner avec un metteur en scène inconnu. En fait, Welles avait désiré n'utiliser aucune vedette mais Lucille Ball, qu'il avait choisie en premier lieu, n'était pas libre.

Entre-temps, Welles avait visionné quantité de vieux films à Hollywood ou au Museum of Modern Art, et discuté de chaque aspect technique avec les spécialistes de la RKO. Il fut ravi par les installations des studios et fit à Richard Wilson le commentaire suivant, qui devint célèbre : « C'est le plus grand train miniature qu'un petit garçon ait jamais eu ! ». Il était tout particulièrement fasciné par *La Chevauchée fantastique* qui, sorti en 1939, fut le prototype de tous les westerns ultérieurs bien que, malgré sa réputation, le film n'atteignît pas le niveau de ceux que Ford réalisa par la suite. Interviewé en 1963, Welles disait : « Ce que j'aime ? Griffith, Renoir, De Sica, Flaherty, Wajda, et même certains des premiers Pagnol. Pas forcément le cinéma avec un grand C, mais quelque chose d'autre et qui le vaut. Mon maître, c'était Ford. Bien que mon style n'ait rien à voir avec celui de *La Chevauchée Fantastique,* ce film a tout de même été mon B-A BA cinématographique. Je l'ai visionné plus de quarante fois. » Il était encore plus catégorique en 1967 avec Kenneth Tynan. Il dit qu'il aimait « les vieux maîtres. C'est-à-dire John Ford, John Ford et John Ford. Avec Ford, on sent que le cinéma appartient au monde réel, même si les scénarios ont été écrits par la mère Michu. »

Très apprécié en Europe, Ford n'est pas aussi estimé par la critique aux Etats-Unis. En partie, bien sûr, parce que son code moral, et le style grâce auquel il le transmet, sont démodés aujourd'hui ; de plus, son absence de prétention et le fait qu'il privilégie l'action lui aliènent la faveur d'un très grand nombre de critiques américains, véritables requins de la culture. Comme Welles cependant, il est estimé par la quasi-totalité des metteurs en scène, surtout lorsque ceux-ci sont issus du théâtre. Ses films sont personnels et pénétrants, et allient dans un mélange tonique drame et comédie, nostalgie et aventure. A travers l'absolue précision de son style, on sent une force incantatoire, on perçoit l'ordre qu'impose à une action instinctive une stylisation à la fois naturaliste et bien au-delà du naturalisme, un ordre correspondant en même temps au monde réel et à un monde idéal dont la précision du style est le reflet. Welles a dit un jour qu'il voyait dans *Sciuscia,* de De Sica, le plus grand film qu'il ait jamais vu. « Je crois que pour ce qui est du maniement de la caméra je n'ai pas d'égal, expliquait-il, mais je ne sais pas faire ce que fait De Sica. J'ai projeté une nouvelle fois son *Sciuscia* récemment et la caméra disparaissait, l'écran disparaissait ; c'était la vie toute pure... » Mais quelle que soit son admiration pour De Sica (ou Jean Renoir), Welles a bien davantage appris de Ford. Quoiqu'il n'y ait pas grand chose dans *La Chevauchée fantastique* qui rappelle l'œuvre de Welles, on y retrouve ce gracieux amalgame de théâtralité et de simplicité émotionnelle vers lequel Welles tendra toujours plus. Quand, trente ans après *La Chevauchée fantastique,* Welles en recrée de façon étonnante un plan dans *Falstaff,* sa dette envers son maître est finalement payée.

4. Citizen Kane

Dans l'un des contes de Chesterton, La Tête de César *je crois, le héros déclare que rien n'est plus effrayant qu'un labyrinthe dépourvu de centre. Ce film est tel un de ces labyrinthes.*

Jorge Luis Borges.

Welles, qui en 1970 déclare « le cinéma doit garder quelque chose de brut », a pourtant inauguré sa carrière cinématographique avec *Citizen Kane,* une véritable pièce d'orfèvrerie où rien n'est laissé au hasard... C'est le pur produit d'un homme de théâtre qui avait acquis une réputation mondiale à vingt-trois ans et pour qui le temps était venu d'explorer la surface de l'illusion. Dans le film, le magnat de la presse Foster Kane crée un monde à sa propre image : quand l'image est brisée, rien ne subsiste que vanité et mort. *Citizen Kane* se présente clairement comme la tentative de démêler les complexités du caractère d'un homme légendaire – en essayant de découvrir le sens du mot qu'il prononce en mourant : « Rosebud », bouton de rose. Mais il s'agit surtout d'un tour de prestidigitation où le personnage disparaît

CITIZEN KANE

DRAME

ORSON WELLES

U.S.A. 1941

Stars Films

Citizen Kane, l'affiche du film.

derrière une éblouissante démonstration mêlant l'artifice au mystère. A la fin, le secret de la personnalité de Kane reste aussi hermétiquement gardé que l'image neigeuse reste prisonnière de la boule de verre que Kane, au début du film, casse lorsque, mourant, il la fait tomber. De même que *La Guerre des Mondes*, *Citizen Kane* a toujours eu tendance à éclipser les réalisations ultérieures de son créateur, ces œuvres plus « immédiates » qui, délaissant les artifices du théâtre, explorent plus profondément la psychologie des personnages. En pillant Hollywood pour s'assurer la meilleure technique et les meilleurs techniciens, Welles essayait de faire « le » film qui résumerait tous les films et lui érigerait un monument immortel. C'est cette folle et juvénile présomption qui conférera toujours à *Citizen Kane* la verve de sa séduction.

Bien que, de façon surprenante, le sujet ait souvent été traité avec une grande réserve, la ressemblance de Kane avec William Randolph Hearst fut évidente pour la majorité de ceux qui virent le film à sa sortie, et l'on peut lire dans l'excellent *Citizen Hearst* de W.A. Swanberg combien le film emprunte à la biographie du « grand journaliste à sensation ». Welles s'est toujours contenté de commentaires ironiques – tels « Un beau jour, si M. Hearst ne prend pas garde, je vais faire un film qui sera réellement inspiré de sa vie » (1941) ou « Kane aurait aimé voir un film tiré de sa vie, mais pas Hearst : il n'avait pas assez de classe pour apprécier la chose » (1965). Pourtant, il semble qu'au contraire, Hearst ait aimé voir sa vie portée ainsi à l'écran. On dit qu'il possédait une copie du film qu'il projetait à ses amis. Le fils d'un ancien collaborateur du magnat de la presse m'a confié qu'au congrès de San Simeon, chaque année, les participants saluaient Hearst avec un « Et comment va le bon vieux Citizen Kane ? » qui le ravissait.

Apparemment le soutien, d'ailleurs mitigé, qu'apporta Hearst aux attaques de Louella Parson contre *Citizen Kane* lui était dicté par son attachement à Marion Davies, très mécontente, à juste titre, du portrait impitoyable de Suzan Alexander Kane. L'actrice aurait qualifié le film de « ce f-f-f-foutu Citizen Kane ». Bien entendu, Kane existe en dehors de toute référence à Hearst mais il est intéressant de voir en quoi son personnage et celui de Hearst diffèrent ou se ressemblent. Il est d'ailleurs significatif que ce soit lorsqu'ils diffèrent le plus que le film se fasse le plus autobiographique. Hearst, par exemple, ne quitta ses parents qu'à l'âge de dix-neuf ans et continua de les voir, tandis que la mère de Welles mourut quand il avait huit ans – l'âge de Kane au moment où

Thatcher l'enlève à Marie – et son père quand il en avait treize. Le réalisateur refuse bien entendu la comparaison (Moi je n'ai pas eu de « Rosebud ») mais il y a dans le film beaucoup plus de ressemblance qu'il ne l'admet avec sa propre biographie.

La paternité du film a souvent été constestée. La controverse a été récemment ravivée par un long article de Pauline Kael paru dans le *New Yorker,* dans lequel elle affirme que Herman J. Mankiewicz, cité comme co-scénariste dans le générique aux côtés de Welles, était le véritable auteur du scénario – depuis l'idée de départ jusqu'au script définitif. Je renvoie ici le lecteur à mon article « Rough Sledding with Pauline Keal » paru dans *Film Heritage* à l'automne 1971. Voici un bref rappel des faits : Pauline Keal m'a avoué personnellement n'avoir consulté ni Welles ni ses partisans, et j'ai donc demandé à Bogdanovich de me fournir des éléments pour la défense de Welles. « Le *Kane* de Miss Keal est à ce point truffé d'erreurs que le temps me manquerait pour toutes les relever, m'expliqua-t-il. J'ai en ma possession une déclaration écrite faite sous serment à l'époque par Richard Barr – producteur associé de *Citizen Kane* et actuellement producteur à Broadway – qui décrit clairement la genèse du projet. L'idée était de Welles – Barr raconte comment Welles a écrit, réécrit, changé le scénario au fur et à mesue. Cette déposition – que Barr a relue il y a quelques semaines et dont il a réaffirmé l'authenticité – figurera dans mon livre. Puisque Miss Keal avait parlé à la secrétaire de Mankiewicz, j'ai parlé à celle de Welles, Katherine Trosper. Elle me dit que « si Orson Welles n'avait pas écrit un mot du script, elle se demandait ce qu'elle avait bien pu écrire sous sa dictée avant, et pendant le tournage ! »

John Houseman, rédacteur de Mankiewicz au moment de la conception du scénario, est loin d'être un partisan de Welles (qui en parlait il y a peu comme d'« un vieil ennemi à moi »), pourtant il déclarait en 1969 qu'après que Mankiewicz et lui eurent terminé leur travail sur le script, « Orson reprit le scénario et le mit en images. Il y ajouta beaucoup et une horrible dispute éclata plus tard entre lui et Herman au sujet de la place que chacun occuperait dans le générique. Autant que j'aie pu en juger, les présenter comme co-scénaristes semble juste. Le script de *Citizen Kane* était le produit de leurs efforts respectifs ». Le plus drôle, c'est que peu importe en fin de compte la part que chacun a prise à la rédaction du scénario : Pauline Keal reconnaît elle-même que la grandeur du film se trouve dans la mise en scène : « Ce qu'il fait, *Citizen Kane* le fait si bien, et avec un tel esprit, que sa perfection continue de nous transporter. Les éléments formels eux-mêmes nous transportent ; le film nous rappelle sans cesse la merveilleuse façon dont les idées s'enchaînent. » La version finale du script est un modèle du genre, elle ne tente pas de faire sur le papier ce qui sera du ressort de la mise en scène ; on dirait le texte d'une pièce de théâtre, le contexte est indiqué rapidement, quelques renseignements sur l'atmosphère sont suggérés puis on passe directement au dialogue, accompagné d'un minimum de notes techniques. S'il est vrai, ainsi que l'a affirmé Houseman, que « la conception et la structure (de *Citizen Kane)* étaient... essentiellement le fait de Mankiewicz », il est également vrai, ajoute-t-il, que « c'est Orson qui en a fait un film ; la dynamique du film et ses lignes de force lui sont dues, et les brillants effets techniques – tout cet ensemble de tensions visuelles et sonores qui s'additionnent pour faire de *Citizen Kane* l'un des joyaux du cinéma mondial – sont du pur Orson Welles. »

La mort de Kane au début du film se déroule dans une atmosphère fantastique qui laisse le spectateur dans un désarroi avivé par la violence du passage de la mort à la projection de la bobine d'actualités. Même si celle-ci présente les événements principaux de la vie de Kane en les mettant en relation avec le temps historique – situant la mort d'Emily en 1918, sa propre mort en 1941, etc. – ce n'est qu'en voyant les reporters des *News on the March* discuter dans la salle de projection que l'on accède à un système temporel cohérent. Avec le passage au présent, le film dévoile son caractère prosaïque, anti-romantique. Un système a été instauré dans lequel les actions de Kane sont désormais situées dans le passé, et perdent donc tout effet. Jouant avec ce rapport temporel, Welles oppose la force apparente des actions de Kane à la conscience qu'a le public de leur échec et du destin de Kane, voué à la destruction, comme on nous l'a montré au début du film. Nous assistons aux événements qui ponctuent sa vie sans porter de jugements de valeur sur eux.

A la fin du film d'actualités, nous voyons le faisceau de lumière frapper l'écran ; puis des mains arrêtent le projecteur, qui s'immobilise dans un ronflement. Tout ce passe comme si l'on déclarait nul le monde fictif du film, mais seulement « comme si ». En effet, *Citizen Kane* continue. Par ce choc brutal, Welles voulait nous signifier de ne pas croire que la bobine nous a dit la vérité sur Kane. Il cherche à nous troubler encore davantage en montrant un homme, Rawlston, le monteur du reportage, debout et agitant les bras dans ce faisceau de lumière qui projetait auparavant la bobine d'actualités. Son visage reste caché – comme celui de Thompson, l'auteur de la bobine, qui reste d'ailleurs dans l'ombre pendant toute la durée du film – pour souligner combien l'artiste doit prendre de distance par rapport à l'objet de sa quête. En voyant Thompson, nous pouvons nous « identifier » à son point de vue, mais ne le voyant jamais entièrement, nous sommes forcés de moduler le sentiment favorable que nous pourrions éprouver envers lui. Quant à Kane lui-même, Welles laisse son visage complètement dans l'ombre au moment où il est le plus altruiste, quand il lit la Déclaration de Principes et la signe, faisant une pause avant de prononcer le nom « Kane », en le faisant sonner d'une façon très caverneuse. Les différentes attitudes codées de Kane, de Leland ou de Thompson, nous rappellent constamment la difficulté de donner de la vérité une image « objective ».

Rawlston dit à Thompson : « Il ne suffit pas de nous dire ce que l'homme a fait. Vous devez nous dire *qui il était* ». Passant outre les protestations de Thompson et les facéties des autres reporters – qui ne portent aucun maquillage et parmi lesquels on reconnaît Joseph Cotten (Leland) et Erskine Sanford (le vieux rédacteur de l'*Inquirer,* Carter) – Rawlston envoie Thompson à la recherche de Rosebud : « Peut-être nous a-t-il tout révélé de lui-même sur son lit de mort ». Ce à quoi un autre journaliste réplique « Ouais, et peut-être qu'il l'a pas fait ». On entend Cotten murmurer « Rosebud » sur un ton ironique, comme il le fera plus tard, à l'issue de l'enquête de Thompson ; sa présence ici en tant que *doppelgänger* de Leland suggère que l'enquête est vouée à l'échec – Thompson ne fera que tourner en rond. Le reporter, représentant du public, est également l'artiste qui fait face aux contradictions de son objet. Amené par curiosité ou par nécessité à spéculer sur le sens d'une parole ou d'un acte, il travaille de plus en plus précisément sur les implications contenues dans les indices. Lorsqu'il cherche à développer la première image à laquelle il est parvenu, il la trouve à la fois confirmée et infirmée, si bien qu'il la modifie progressivement avant d'abandonner ses recherches au moment où il va trouver une solution définitive au problème. Quoiqu'il approche Rosebud le plus près possible – à quelques pas en fait – il ne l'atteint jamais. Welles et le public, eux, l'atteignent, bien sûr, mais seulement pour montrer que Thompson avait raison d'accepter les contradictions de Kane sans le juger.

« Chez moi, déclarait Welles, dans une interview récente, le visuel est la solution apportée aux impératifs poétiques et musicaux. Je ne commence pas avec le visuel pour trouver ensuite une forme poétique ou musicale qui colle au film. C'est le film qui doit suivre. Encore une fois, les gens se trompent en croyant que ma préoccupation première concerne les simples effets plastiques du cinéma. Ceux-ci, pour moi, dérivent tous d'un rythme intérieur, qui ressemble à la forme de la musique ou de la poésie. Je ne me promène pas comme un collectionneur à la recherche de belles images à coller toutes ensemble... Je crois à la valeur du cinéma comme moyen de communication poétique. Je ne pense pas qu'il entre en compétition avec la peinture ou le ballet – l'aspect visuel du cinéma est une des clefs de la poésie. Aucun film ne trouve sa justification à lui seul, ne signifie quoi que ce soit, – qu'il soit beau, frappant, terrifiant, tendre... – tant qu'il ne rend pas la poésie possible. ce qui n'est pas peu dire car la poésie devrait nous donner des frissons, suggérer, évoquer davantage que nous ne voyons. Le danger du cinéma est que tout y est offert à la vue, du fait de la caméra. Il faut donc essayer d'invoquer, de recourir à l'incantation, pour faire apparaître des choses qui ne sont pas vraiment là... Et surtout le projet personnel de l'auteur doit être d'une seule pièce. »

La bobine d'actualités, la première parcelle d'information qui nous soit donnée sur Kane, agit sur tout le reste du film. Les recherches ultérieures du reporter se lisent comme une sorte de critique de la grandiloquence des *News on the March*. (Et de l'approche documentaire en général). Ce que la bobine nous a montré de Kane est indéniablement vrai ; il a vécu dans le château qu'on nous a montré, il a prononcé les discours que nous avons entendus, etc. Mais la caméra ment tout de même (« aucun film ne trouve sa justification à lui seul ») et nous ne sommes pas encore en mesure de sonder le « rythme intérieur », la poésie de la vie profonde de Kane. L'image reste suspecte dans *Citizen Kane* ; chaque moment du schéma musical du film ne prend son sens que dans le contexte de l'ensemble des autres moments, passés et à venir. Ce qui apparaît sur l'écran à un moment donné n'est pas définitif, fait partie de l'état d'esprit que partagent l'auteur et le public. On voit de deux façons les actions de Kane : en condensé dans la bobine d'actualités, et plus en détail dans le reste du film. La tension que maintient la structure du film naît de la fusion opérée entre le suspense et le mystère, c'est une sorte de tension métaphysique : il y a suspense dans la mesure où – en

La campagne électorale de *Kane*.

Citizen Kane, *Everett Sloane* dans le rôle de *Bernstein*.

compagnie de Thompson – nous connaissons par avance les actions de Kane ; il y a mystère dans la mesure où nous essayons de découvrir le « secret » derrière elles, Rosebud. La vie de Kane telle que nous la découvrons suit le schéma de la tragédie classique mais elle n'en a pas la *forme,* puisque le sort de Kane est dévoilé dès le début du film. Nous découvrons par ailleurs ses actions dans le désordre, à travers le regard du journaliste. La négation de la chronologie aristotélicienne, telle qu'elle s'applique à Kane, implique une suspension déterministe de la loi de cause à effet. La structure en fugue du film donne au récit de l'existence de Kane la circularité futile de « thèmes et variations », circularité qui ignore la simplicité massive et directe de l'action dans la tragédie grecque.

Il est significatif qu'aucun des deux amis intimes de Kane, Leland et Bernstein, n'apparaît dans la bobine d'actualités. Le script les faisait assister au mariage de Kane avec Emily, mais Welles les a supprimés, et il a eu raison de le faire. « Tout ce que j'ai vu sur cet écran, c'est que Charles Foster Kane est mort – mais je le sais, ça, j'ai lu les journaux ! », plaisante Rawlston. Ce que nous avons vu est de toute évidence le travail de quelqu'un qui n'avait aucune connaissance intime de son sujet. Thompson s'est contenté de lire les journaux et de regarder la bobine. Hormis le bref passage du film « pirate », dans lequel on voit Kane promené en fauteuil roulant dans sa roseraie, la bobine d'actualités ne montre que les agissements publics du grand homme (on le voit même essayer de casser l'appareil-photo d'un reporter de l'*Inquirer* après son mariage avec Susan !) C'est l'utilisation dans le documentaire du film pirate – comme le plan filmé en dehors du champ de vision du héros dans le film de Hitchcock *Fenêtre sur Cour* – qui nous aide à comprendre le genre de stratégie perceptive utilisée. L'un des bancs-titres de la bobine emplit l'écran de cette phrase paradoxalement vraie et fausse : « Rarement une vie privée fut aussi publique ».

La quête de Thompson, par contre, prend la forme d'un drame aristotélicien. Dans la dizaine de jours qui sépare la mort de Kane de la fin de son enquête sur la vie de ce dernier, Thompson change. Son drame atteint son paroxysme quand il commence à confier au vieux Bernstein que Leland n'a « rien de particulier, m'a t-on dit, si ce n'est... » mais qu'il marque alors une pause embarrassée. Bernstein termine sa phrase à sa place : « si ce n'est qu'il est vieux », avant de poursuivre : « la vieillesse est le seul mal, M. Thompson, dont on ne souhaite pas être guéri ». A partir de ce moment, Thompson s'engage de plus en plus et doit affronter la dureté du majordome de Kane. Il se revoit au commencement de ses recherches. A l'instar de Leland et de Kane lui-même, Thompson est un innocent que la vie amène cruellement à reconnaître la corruption. Les constantes juxtapositions Kane jeune/Kane âgé et Leland jeune/Leland âgé, ou du jeune Thompson face aux vieux Bernstein et au vieux Leland, étayent constamment l'idée que l'âge et l'expérience ont sur les êtres un effet modérateur.

L'opposition entre la maturation douloureuse de Thompson et les vaines tentatives de Kane pour changer sa vie contribuent à l'ironie du film, tout comme l'absolue symétrie de sa construction établit un contrepoint permanent et ironique à l'entière absence d'ordre dans l'existence de Kane. Prenons, pour ne citer qu'un exemple de ces centaines d'effets de symétrie, la photographie de Kane, d'Emily et de leur fils parue dans les journaux à la mort de la mère et de l'enfant dans un accident de la circulation. Cette photo apparaît d'abord dans la bobine, immédiatement après le plan où l'on voit Kane et Emily poser pour leur photo de mariage. Beaucoup plus tard nous voyons le moment où la photographie a été prise ; juste avant qu'Emily n'envoie l'enfant à la maison en voiture et ne dise à Kane qu'ils vont à l'appartement de Susan : c'est-à-dire au moment précis où Kane décide d'en terminer avec leur mariage. Il faut voir le film des douzaines de fois pour prendre véritablement conscience de ce genre de métaphore subliminale, bien que dès l'abord on ressente confusément qu'il est à l'œuvre. Nous ressentons ce que Gertrude Stein appelait « le plaisir de se concentrer sur la simplicité dernière de l'excessive complexité. »

A travers l'obstination que Thompson met dans sa quête et l'échec, la futilité en fin de compte de cette obstination, Welles raille le spectateur dont il sait qu'il attend qu'on lui fournisse une explication toute faite de la vie de Kane. Leland rit aussi de cette illusion : « Rosebud ? ouais, j'ai vu ça dans l'*Inquirer*. Eh bien, je n'ai jamais cru un mot de ce qu'imprime l'*Inquirer*. Autre chose ? » Seul des journalistes réunis à Xanadu à la fin du film, Thompson s'aperçoit qu'en fin de compte il n'existe pas de solution. Quelqu'un lui dit que s'il avait trouvé la signification de Rosebud, il aurait tenu la clef du mystère. Face à la caméra qui s'éloigne de lui tandis qu'il est toujours dans l'ombre, il rétorque : « Je ne crois pas. Non. M. Kane avait reçu de la vie tout ce qu'on peut en attendre, et il a tout perdu. Peut-être Rosebud est-il quelque chose qu'il désirait et qu'il n'a jamais eu, ou quelque chose qu'il a perdu, mais de toute façon cela n'aurait pas tout expliqué. Non, je pense que Rosebud n'est qu'une pièce du puzzle – une pièce manquante ».

La pièce manquante nous est fournie ensuite, mais qu'apprenons-nous du puzzle terminé ? La caméra de Welles quitte Thompson pour se lancer dans de majestueux travellings qui nous font découvrir des piles énormes d'objets que Kane a passé sa vie à accumuler... entre autres une statue de Vénus décapitée, qu'un mouvement de caméra antérieur avait associée au fourneau de la mère de Kane. Des plans en plongée sur les piles, nous passons à un plan rapproché où apparaît enfin Rosebud, « le bouton de rose », le traîneau de Kane dans son enfance : il occupe tout l'écran, et il brûle. Dwight Mac Donald traduit le sentiment général lorsqu'il avoue que ce plan le « remue énormément », mais qu'il ne saurait expliquer pourquoi. Ce plan nous propose la solution que nous avons recherchée avec Thompson et nous prenons conscience de ce qu'elle ne résout rien. Notre estime pour Thompson en est accrue car nous nous apercevons qu'il nous a fallu voir Rosebud pour comprendre ce que lui avait compris sans voir le jouet.

Mais serait-il possible, comme le croient certains, qu'il y ait de l'ironie dans les paroles du reporter et que nous prenions conscience en voyant l'image chargée d'une telle émotion qu'il existe en réalité une explication ? Il y a peu de chance que ce soit le cas : la révélation de Rosebud, loin d'expliquer le mystère de l'existence futile de Kane, lui confère au contraire une autre dimension. Si Welles ne nous avait pas montré Rosebud, nous aurions continué à croire à l'existence d'une solution que Thompson aurait simplement été incapable de trouver. Nous serions ainsi amenés à imaginer des solutions par nous-mêmes. Au lieu de cela, en nous rappelant le renvoi de Kane de chez lui et son utilisation du traîneau comme d'une arme contre Thatcher, Welles clôt le cercle de la vie de Kane en retournant au point de départ – à cette période où tout n'était pas encore perdu pour lui. Malgré l'évocation d'un Paradis Perdu dans cette scène de renvoi de Kane de son foyer (la neige, le long travelling ininterrompu, l'immense et caressant gros plan de la mère avec l'enfant), il est important de se souvenir que Kane est loin d'avoir eu une enfance heureuse.

Lorsqu'on nous montre pour la première fois l'enfant, dans l'encadrement d'une fenêtre à l'arrière-plan, il est en train de jouer

Citizen Kane, *Orson Welles et Agnes Moorehead.*

Orson Welles et Agnes Moorehead, Charles Foster Kane et Mary Kane
« C'était un mariage comme les autres ».

dans la neige, aussi seul et désemparé qu'en son vieil âge. On dresse un portrait rapide des tensions familiales : la mère autoritaire est néanmoins angoissée à l'idée de confier son fils à Thatcher, le père, pathétique, ne fait que des objections maladroites. Pourquoi la mère de Charles l'éloigne-t-elle ? Pour le soustraire à son père qui apparemment le maltraite quand il est ivre ? Peut-être. Mais il est plus probable, étant donnée la détresse dans laquelle Welles situe cette famille, que le hasard qui a fait la soudaine fortune des Kane (un logeur ne pouvant payer sa pension leur a laissé des actions d'une mine d'argent florissante) a créé sa propre logique implacable – Charles doit « faire son chemin ». C'est précisément ce sentiment de prédétermination qui confère tout son mystère et son acuité à la brève scène des adieux. Le traîneau que le petit Kane mène aveuglément, poussé par son seul instinct, devient le symbole, non pas de ce que la vie adulte de Kane a été mais de ce qu'elle aurait pu être. Le voyage entrepris après le départ de la maison est figuré par un plan où l'on voit un traîneau à moitié enfoui sous la neige tandis qu'on entend le sifflement lugubre d'un train.

On entend plus tard Kane, déjà âgé, murmurer « Rosebud » en étreignant la boule de verre, au moment précis où Susan (qui lui rappelait sa mère) le quitte. Un détail extraordinaire et presque invisible relie la scène de l'enfance au moment où Kane commence à fréquenter Susan. Quand Mme Kane s'asseoit à la table afin de signer le papier par lequel elle confie à Thatcher son enfant, la caméra pivote presque imperceptiblement sur la droite pour révéler à l'arrière-plan la boule de verre posée sur la table. Des années plus tard, dans l'appartement de Susan, la boule réapparaît avec tout le caractère illogique d'une métaphore poétique, sur une table au milieu d'une foule d'objets hétéroclites. Lorsque Susan quitte Xanadu, Kane découvre la boule parmi les possessions de sa femme, et on la reverra près de son lit de mort. Ce qui donne toute leur force aux dernières paroles de Kane et à l'image du traîneau est tout ce courant souterrain de suggestions pointant vers quelque chose d'illusoire, de jamais atteint et, probablement, d'inaccessible.

Quoique l'auteur lui-même s'excuse volontiers de ce Rosebud – « C'est un gadget, vraiment, du Freud à la petite semaine » – il faut s'en référer à son œuvre et considérer par exemple les images qui suivent celle du traîneau en train de brûler : d'une cheminée du château s'élève une fumée – fondu enchaîné : le ciel sombre – fondu enchaîné : retour à notre position initiale, devant

"Bouton de Rose".

Rosebud, l'enfance de *Charles Foster Kane.*

l'écriteau *No trespassing* (entrée interdite) – fondu enchaîné :
retour à la vue générale de Xanadu vu à travers le K géant,
Xanadu ne présente plus le même aspect, maintenant que la
fenêtre derrière laquelle Kane est mort n'est plus éclairée, que la
lueur de l'aube teinte les nuages de légers reflets et que la fumée
s'élève au-dessus du château. La répétition des deux prises de vue
déjà montrées dans l'énigmatique séquence d'ouverture (et
décrites dans le script comme « Ankor Wat, la nuit où mourut le
dernier roi ») nous force à reconnaître que bien que le mystère de
Kane ait été éclairci, les preuves sont encore susceptibles d'être
réinterprétées et le doute demeure. Comme Robin Wood
observait à propos du diagnostic du psychiatre concernant
Norman Bates dans *Psychose* : « Le psychiatre, beau parleur et
suffisant, nous rassure. Mais Hitchcock ne suscite ce sentiment de
sécurité que pour nous forcer à le rejeter. A la réflexion, nous
nous apercevons que « l'explication » élude autant qu'elle
éclaire. » Hitchcock nous montre, après que l'explication ait été
donnée, un Norman que nous « comprenons » maintenant, assis,
enveloppé dans une couverture faisant penser au ventre maternel,
et en proie à une folie irréversible ; puis l'on passe à la voiture que
l'on retire de la mare. De la même façon la dernière séquence de

45

Citizen Kane, au cours de laquelle se rejoignent les deux motifs antithétiques de la bande musicale – le motif « du pouvoir » exécuté par les cuivres, et le motif « de Rosebud » sur le vibraphone, comme les a décrits le compositeur Bernard Herrmann – la dernière séquence de *Citizen Kane* donc, fournit au problème une solution parfaitement ambiguë.

Chez Thompson, l'effronterie a laissé place à l'humilité. Il a maintenant pour Kane un respect qui ne s'exprimait que de façon très superficielle dans *News on the March.* En vivant par personne interposée les événements qu'il avait représentés dans la bobine d'actualités, il est parvenu à comprendre que Kane était davantage qu'« un empereur de la feuille imprimée ». Dans la version finale du scénario, au cours d'un monologue qui n'a pas été retenu pour le film, Thompson disait à un journaliste qui lui demandait ce qu'il avait découvert : « Eh bien – je m'en suis fait une image très claire. C'était l'homme le plus honnête du monde, avec une tendance à la malhonnêteté grosse comme une maison. C'était un libéral et un réactionnaire. C'était un mari aimant – et ses deux femmes l'ont quitté. Il était doué pour l'amitié comme peu d'hommes le sont – et il a brisé le cœur de son plus vieil ami comme vous jetteriez un mégot. Hormis quoi... » Il est préférable que ces mots ne soient pas prononcés dans le film, en fin de compte, puisqu'ils ne font que traduire en paroles ce que les images et la bande sonore dans les scènes de la fin font si bien ressentir. Mais ils éclairent la méthode du film, cette constante et ironique érosion de l'espoir qu'a le plublic de trouver une solution.

Le titre même est l'expression du paradoxe autour duquel le film est bâti. Devenir « citizen », citoyen, faire partie de la communauté humaine, voilà ce à quoi aspire vainement Kane – homonyme ici de Caïn. A deux reprises le héros prononce le mot de « citoyens » : dans un élan de civisme sincère mais aussi dans un moment d'ironie aiguë lorsqu'il lit la Déclaration de Principes – « Je serai aussi un champion ardent et inlassable des droits civiques et des droits de l'homme » et lorsqu'il prononce son discours électoral devant les « honorables citoyens ». Welles apporte un contrepoint aux envolées de Kane en insérant un plan de l'élégant Leland au moment où sont prononcés les mots « le travailleur et les enfants démunis », et un autre de Bernstein et ses acolytes applaudissant aux mots « les défavorisés, les sous-payés et les mal nourris ».

Le « *citizen* », le citoyen représente l'aspect positif, héroïque du

Citizen Kane, le grand Hall de Xanadu, *Dorothy Comingore* dans le rôle de *Susan Kane.*

personnage : le « *Kane* » son côté maudit. Notre conception de Kane comme héros tragiquement pétri d'imperfections et se dirigeant peu à peu vers sa perte est nuancée par notre conscience qu'il n'était pas totalement maître des événements qui ont modelé sa vie et qui semblent avoir été ordonnés par une force invisible. La présence de Thompson ne fait qu'accentuer ce sentiment, de même que la profondeur de champ de la photographie de Gregg Toland, la prédominance des contre-plongées et l'absence presque systématique de gros plans, toutes stratégies permettant d'intégrer le personnage au milieu. Le déterminisme s'exprime le mieux dans le film au moment où Susan quitte Kane. Un cacatoès traverse l'écran en poussant des cris perçants, puis l'on voit Kane, prostré, debout devant la porte de la chambre de sa deuxième femme, tout au fond de l'image. On le voit ensuite en plan moyen se retourner mécaniquement et rentrer dans la chambre, après quoi Welles filme en contre-plongée le reste de la séquence ; Kane se déplace à la manière d'une marionnette, le changement d'angle au cours du mouvement continu de l'acteur ajoutant à l'aspect mécanique de ses gestes. La contre-plongée transforme Kane en abstraction ; c'est une simple forme échappant aux lois de la raison, un phénomène dans son milieu.

Suivant l'exemple fourni par la bobine d'actualités, on peut imaginer que les événements de la vie de Kane tels qu'ils sont repris dans les flash-backs des autres narrateurs – le manuscrit de Thatcher, les souvenirs de Bernstein, de Leland, de Susan et de Raymond – sont regroupés selon un ordre métaphorique et non par hasard. Et c'est le cas en effet. Le récit de Thatcher s'ordonne autour des jeux de pouvoir : il y a le moment où il arrache Charles à ses parents, celui où il donne à Kane un traîneau en remplacement de l'autre, la vengeance de Kane sous la forme de son journal, et enfin le moment où Thatcher reprend son journal à Kane et où celui-ci lui dit : « Ma veine m'est toujours restée en travers de la gorge ».

Bernstein est infantile. Son flash-back se rapporte aux moments brillants de l'existence de Kane, dont il dresse un portrait idéalisé. De tous les personnages du film, c'est lui qui demeure le mieux disposé envers Kane, qui n'a jamais exigé de lui plus que de la camaraderie. Le choix des événements dans la version de Bernstein le situe lui-même aux débuts de la carrière de Kane dans la presse et la politique... à l'époque où Kane conquérait le monde. On voit à maintes reprises Bernstein et Leland, plus sceptique, présentant leur profil au spectateur, se faire face sur l'écran, et cette position conflictuelle met en scène la différence entre les demandes émotives que les deux hommes adressent à Kane. La dernière fois que nous voyons les deux hommes ensemble, lors de la désastreuse soirée à l'opéra, Bernstein, campé devant Leland, lui dit d'un air étrange et avec de l'émotion dans la voix : « Je pense que maintenant tu auras compris ». Comme le scénario l'indique, ces mots sont prononcés « avec une sorte de passion tranquille, plutôt qu'avec un air triomphant ! »

Si le désintéressement de Bernstein en fait le chantre de la loyauté, l'idéalisme et le romantisme de Leland en font celui de l'amour. Dans son flash-back nous assistons aux différentes phases de la vie amoureuse de Kane, aux premiers temps idylliques du mariage à la rencontre avec Susan, à la confrontation avec Gettys dans l'appartement de Susan, à la rupture consécutive avec Emily et Leland lui-même, au mariage avec la « chanteuse », et finalement à l'humiliation du couple à l'Opéra, puis au passage où Kane lit la critique de Leland, secoué par un rire profond qui ressemble davantage à des sanglots. Le romantisme de Leland lui fait ressentir et se rappeler de tous les moments les plus intenses, dont les autres personnages ont tendance à ne retenir que ce qui leur plaît. Dans le flash-back de

Bernstein, par exemple, Emily n'apparaît que dans un intimidant plan d'ensemble, tandis que dans celui de Leland nous voyons le couple au cours du montage du petit déjeuner passer de la tendresse à la froideur ; et si Susan ne se souvient que des pires moments de sa relation avec Kane, Leland, lui, se rappelle à la fois les mauvais moments et les bons – lorsque Kane courtisait Susan. A plusieurs reprises, Welles souligne la présence de Leland, songeur, au fur et à mesure que se déroule la vie amoureuse de Kane, montrant son visage en surimpression, dans des fondus enchaînés au début et à la fin du montage, par exemple. « C'était un mariage comme tant d'autres » dit Leland tristement. Lorsqu'il décrit la rencontre de Susan et de Kane, on voit à nouveau pendant quelques secondes son visage en surimpression sur la rue où il pleut. Enfin, quand Leland, emmené par deux infirmières vigoureuses, s'éloigne de Thompson, on le voit disparaître à l'intérieur de l'affiche annonçant le concert de Susan, ce qui est sans doute l'effet le plus saisissant de tout le film.

Dans la première des scènes de Leland avec Thompson à l'hôpital, le scénario prévoyait qu'après que les deux hommes auraient échangé quelques mots, la caméra se déplacerait du visage de Thompson vers celui de Leland. Mais Welles ayant décidé de ne jamais placer le visage du reporter dans le champ direct de la caméra, celle-ci fixe Leland comme pour traduire le regard obsédant que le reporter porte sur lui. Notre opinion de Leland est profondément modifiée par le fait que Welles ait placé en ouverture du monologue les phrases suivantes – censées être prononcées plus tard à l'origine : « Je me souviens de tout, jeune homme, c'est ma malédiction. La plus grande malédiction jamais infligée à la race humaine est la mémoire. » Leland devient par là l'incarnation du passé de Kane, sa mémoire vivante, un Rosebud de chair et d'os, le meilleur de lui-même. Vu sous cet angle, le refus de Leland de répondre à la lettre écrite par Kane de Xanadu est le dernier refus de la conscience de Kane d'accepter son geste de réconciliation. Le monologue de Leland est parcouru de césures tragi-comiques qui lui donnent un air joycien (depuis « .. We do believe in something » – « Oui, nous croyons en quelque chose » – jusqu'à « You're absolutely sure you haven't got a cigar ? » – « Vous êtes bien certain de ne pas avoir de cigares sur vous ? »), ce à quoi concourt également le ton qu'emploie Cotten pour les dire.

On ne voit jamais Leland en compagnie d'une femme quoiqu'il soit question une fois de son penchant pour Emily : « Je peux bien vous parler d'Emily. J'ai suivi des cours de danse avec Emily. J'étais très gracieux. – C'est de la première Mme Kane que nous parlions. » Le scénario prévoyait en fait une scène (dans un bordel) où Kane essayait en vain d'intéresser Leland à une fille. Celui-ci la dédaignait et se lançait dans un discours où il accusait Kane de vouloir entraîner la nation dans la guerre. Leland personnifie les velléités amoureuses de Kane, et son seul défaut est la candeur. Il confie à Kane ce qu'il pense de Susan et en est puni, telle Cordelia dans *le Roi Lear,* tel Falstaff, parce que son amour est trop sincère. Kane, le menteur, le fourbe, qui créé un mythe autour de sa personne, ne peut qu'écraser en fin de compte cet *alter ego* qui remet en cause les effets humains des son pouvoir. La présence de Leland souligne les limites de la capacité de Kane à aimer son prochain. Leland est l'Abel de Kane *

5. La Splendeur des Amberson

La vie de George Orson Welles ressemble davantage encore à celle de George Amberson Minafer que son enfance à celle de Kane. Dans les villes bourgeoises du centre des Etats-Unis où ils grandissent, les deux enfants sont l'un et l'autre des garçons d'exception : George Minafer est le dernier aristocrate, Welles l'intellectuel original. Le père de Welles, comme Eugène Morgan, est inventeur. On lui doit notamment la gamelle utilisée par les soldats de l'armée américaine, un aéroplane à vapeur, et une lampe de bicyclette à carbure ; ce sont des phares de voitures qui feront la ruine des Amberson. « Au tournant du siècle, se souvient Welles, mon père se mit à fabriquer des lampes de bicyclettes parce qu'il croyait que le marché automobile n'avait pas d'avenir. Il fit fortune malgré lui, car ce sont les constructeurs d'automobiles qui achetèrent ses lampes pour leurs voitures. » L'idylle malheureuse d'Eugène Morgan et d'Isabelle Amberson, qui aura pour conséquence que le fils de celle-ci deviendra orphelin, reflète étroitement l'enfance de Welles.

George Minafer est un Charlie Kane à qui on aurait donné dix ans de sursis. Si la scène de la neige dans *Citizen Kane* est courte, forte, si son atmosphère est étouffante et les mouvements de

---

(*) Kane et Caïn se prononcent de la même manière en anglais. (NdT).

La Splendeur des Amberson, l'affiche du film réalisée par Norman Rockwell.

caméra qui la ponctuent brefs et nerveux, si on en a terminé avec l'enfance de Kane en quelques minutes, l'enfance heureuse de George est autrement plus longue et le garçon n'est expulsé de son paradis qu'après trente minutes de film. Les mouvements de caméra, ici, se prolongent et sont plus gracieux ; la scène de la neige des *Amberson* est plus sereine que celle de *Citizen Kane*. L'innocence de George s'achève sur une longue fermeture en fondu à l'iris : hommage à la fois à la fin d'une époque – le décès de son père et l'avènement de l'automobile – et aux conventions plus gracieuses des débuts du cinéma. De même que *Falstaff* regrette la philosophie de l'« aimable Angleterre » du temps des Tudor, dans *La Splendeur des Amberson,* a dit Welles, on se lamente sur la disparition « moins d'une époque que du sens des valeurs morales qui ont été détruites. »

Welles, après *Citizen Kane,* voulait tourner *Les Aventures de M. Pickwick* avec W.C. Fields, mais ce Falstaff-là était déjà sous contrat avec un autre studio pour lequel il devait tourner le film. La RKO trouvant toujours trop expérimental l'ancien projet d'après *Au Cœur des Ténèbres,* Welles se décida à adapter le roman de Booth Tarkington qui avait valu à celui-ci le prix Pulitzer en 1919 et avait été oublié depuis, bien qu'un film muet, *Pampered Youth,* en eût été tiré en 1925. Mis en scène par David Smith, le film faisait se succéder dans le rôle de George, enfant puis jeune homme, respectivement, Ben Alexander et Cullen Landis.

Welles, dans son émission de radio *First Person Singular,* avait déjà adapté de Tarkington (un de ses auteurs préférés) *Penrod* et *Seventeen,* et présenté le 29 octobre 1939 son adaptation de *La Splendeur des Amberson,* qu'il interprétait en compagnie de Walter Huston. Quand il commença le film, fin 1941, il travailla soigneusement la bande-son. Robert Wise, monteur des deux premiers films de Welles, se souvient de la nervosité du réalisateur lorsqu'il avait fallu enregistrer certaines bandes pour la synchronisation de *Citizen Kane.* Après le succès de l'enregistrement cependant, il fut si satisfait du procédé qu'il décida, pour *La Splendeur des Amberson,* de préenregistrer les dialogues et de demander aux acteurs de synchroniser le mouvement de leurs lèvres et leur jeu à l'enregistrement. Le premier jour de tournage fut un fiasco : c'est à peine si les acteurs furent capables de jouer, sans parler de synchronisation ! Wise rapporte que toute l'équipe hormis Welles et les acteurs trouva la chose ridicule et on n'en était pas à la pause du déjeuner que le procédé était abandonné.

Malgré son échec, l'expérience inspirée par son travail à la radio fut profitable à Welles. Howard Hawks, particulièrement dans *His Girl Friday (La Dame du Vendredi)* (1940), avait mis au point la technique d'enregistrement des dialogues simultanés, tandis qu'Alfred Hitchcock, dès 1929, avait expérimenté le montage sonore dans *Blackmail (Chantage)*. Rares sont les réalisateurs, hormis justement Welles et Hitchcock, qui ont exploité ce que Bernard Herrmann, le compositeur de Welles (et plus tard d'Hitchcock) appelait dans un article du *Times* en 1941 « radio scoring » : l'orchestration radiophonique. Il définit cela comme des « intermèdes musicaux de quelques secondes... dans le drame radiophonique, il faut relier les scènes entre elles à l'aide d'un motif sonore qui permette, ne serait-ce que par cinq secondes de musique, de signaler à l'oreille qu'il y a changement de scène. » Herrmann avait imaginé certaines scènes de *Citizen Kane,* tel le montage du petit déjeuner, en termes de « suites de ballet » et Welles avait subordonné le montage à la musique. Hermann collaborait étroitement avec Welles en ce qui concerne les nouvelles utilisations des effets sonores et de l'orchestration, et ils poussèrent encore plus loin leurs expérimentations dans *La Splendeur des Amberson.* Des passages du film, de dix et vingt minutes chacun, sont orchestrés presque de bout en bout et les dialogues simultanés acquièrent une nouvelle force dramatique.

Welles rédigea en neuf jours le scénario de *La Splendeur des Amberson,* fort de la connaissance qu'il avait de l'histoire depuis l'utilisation radiophonique qu'il en avait faite. Le tournage commença le 28 octobre 1941. La nuit, il participait en tant qu'acteur au tournage de *Voyage au Pays de la Peur,* le film de Norman Foster, qui était une production Mercury, et dont Welles, non content d'en être le co-scénariste avec Joseph Cotten, tourna plusieurs scènes. Le dimanche, il enregistrait pour la radio des émissions de la série « Lady Esther » ; ces contraintes, et les difficultés grandissantes que le studio rencontrait pour la distribution de *Citizen Kane* l'amenèrent à laisser Robert Wise et d'autres de ses collaborateurs tourner eux-mêmes deux courtes scènes. Le tournage fut terminé le 22 janvier : le 4 février, Welles partait pour l'Amérique du Sud tourner *It's All True,* son documentaire inachevé. Il emporta les rushes de *La Splendeur des Amberson,* qu'il monta au cours de conversations téléphoniques longue distance avec Robert Wise.

Au printemps 1942, la RKO organisa une avant-première discrète du film qui durait encore cent-trente et une minutes. Le public trouva le film trop lent et truffé de comique involontaire ; en l'absence de Welles, on pria Jack Moss, son administrateur, et Wise de procéder à des coupures. Une seconde projection n'ayant guère obtenu plus de succès, on fit de nouvelles coupures : on se dispensa du dénouement que Welles avait prévu, on en filma un autre, certaines scènes furent reprises, on en tourna de nouvelles, et les deux dernières bobines furent entièrement remaniées. La troisième projection décida enfin le studio à distribuer le film, dans la version de quatre-vingt-huit minutes, et couplé avec un film de Lupe Velez.

Des changements étant survenus à la direction de la RKO, l'une des premières décisions du nouveau patron, Charles Koener, fut d'intimer à Welles l'ordre de rentrer du Brésil, et d'arrêter le tournage de *It's All True,* dont on confisqua le métrage déjà tourné – on en interdit l'accès à Welles, en même temps qu'on résiliait son contrat. On accorda à l'équipe du Mercury vingt-quatre heures pour libérer les bureaux, sous prétexte qu'il fallait laisser la place à l'unité de production d'un Tarzan. On se passa de l'avis de Welles pour le montage de *Voyage au Pays de la Peur.* Le réalisateur menaça de faire un procès mais il accepta de tourner une nouvelle fin et de faire des coupures dans la dernière bobine. Il prêta même sa voix à un court métrage sans demander d'honoraires, pour le seul plaisir de le faire, mais pendant des années il garda rancœur à tous ceux qui avaient participé à la « mutilation » de *La Splendeur des Amberson.* « Ils ont laissé le portier du studio monter *La Splendeur des Amberson* en mon absence », proclamait-il. Il disait aussi que le studio n'avait pas fait une campagne publicitaire adéquate sous prétexte que le film était un échec total. « On a coupé à peu près quarante-cinq minutes – tout le cœur du film en fait – que la première partie ne faisait que préparer, explique-t-il aujourd'hui... La fin est stupide... vraiment ridicule... sans aucun rapport avec mon scénario. »

Le département publicitaire de la RKO tenta de masquer la noirceur du scénario en ayant recours au sensationnel « Le scandale de l'héritière Amberson : Elle a aimé une fois de trop », lisait-on dans l'annonce du film le jour de la première à New York. Le film déplut au public et les critiques furent mauvaises, sauf celle de James Agate dans *Time ;* il a fallu attendre jusqu'à maintenant pour qu'on le reconnaisse, malgré ses « mutilations », comme le chef-d'œuvre qu'il est. Il partage avec *Greed* et *Que Viva Mexico !* le sort regrettable d'avoir échappé en partie à son réalisateur.

Si la structure narrative, cyclique, de *Citizen Kane* se caractérise par des transitions frappantes, c'est la fluidité des scènes qui distingue *La Splendeur des Amberson* : fluidité, progression linéaire et inévitable du récit que soulignent le gommage des raccords et l'utilisation de longs fondus voluptueux. François Truffaut, qui en était émerveillé, écrivait ceci : « Il y a sûrement moins de deux cents plans dans ce récit qui se déroule sur vingt-cinq ans. » Il y en a bien davantage mais le fait qu'un spectateur émérite comme lui s'y soit trompé témoigne de la réussite de la stratégie de Welles.

L'efficacité de *La Splendeur des Amberson* repose en grande partie sur un principe de frustration du public. Welles fait durer les plans un peu plus longtemps que la normale ; trente secondes, une minute (ou davantage) sont des durées si étranges pour des plans que le spectateur s'attend inconsciemment à ce qu'ils durent encore un peu. Lorsque survient la coupure, discrète la plupart du temps, le spectateur éprouve une sorte de déception à voir la scène s'achever si tôt − il a la nostalgie du moment passé. Une grande concentration sur chaque plan est nécessaire à la réussite de ce procédé. La simultanéité des dialogues, l'utilisation constante d'un fond musical, la fluidité des mouvements à la fois de la caméra et de ce qu'elle filme, tout confère au procédé la grâce et l'intensité qui lui sont indispensables. Le véritable triomphe du film réside en ce que la description de la chute d'une famille et du déclin d'une ville est très vraisemblable bien qu'elle ne dure qu'une heure trente. A la différence d'autres films qui prennent pour sujet l'histoire d'une déchéance, *La Splendeur des Amberson* ne se satisfait pas d'évoquer la nostalgie, il la crée.

Le film de D.W. Griffith *True Heart Susie* et *Unè partie de Campagne* de Renoir, jouent sur le même registre, de même que *Jules et Jim*, le film de Truffaut qui commence l'année où s'achève *La Splendeur des Amberson*, et qui ne cache pas ce qu'il doit aux trois autres films. Comme Truffaut le reconnaît lui-même, son film faiblit dans la dernière partie ; comme c'est le cas dans *La Splendeur des Amberson* et ce, sans que Welles puisse en rendre responsables les interventions du studio. Créer une atmosphère aussi légère dans la deuxième partie de leurs films que dans la première partie, puis la laisser sombrer doucement dans la destruction, se révéla une gageure impossible pour chacun des deux jeunes réalisateurs. Comme on pouvait s'y attendre, lorsque Truffaut commente le style de *La Splendeur des Amberson*, il ne se trompe pas : « Le film s'oppose violemment à *Citizen Kane* : il semble en fait avoir été filmé par un autre cinéaste qui aurait détesté le premier et aurait voulu lui donner une leçon de modestie. »

Grâce au filtre des plans du début, on croirait voir s'animer de vieilles photographies. Manny Farber reprochait aux tous premiers plans de n'être qu'une succession de cartes postales reliées entre elles par la narration, mais c'est sur ce genre d'exposition où l'on comprime le temps que dépend le rythme du passage : la musique tendre et capricieuse (telle l'adaptation en ragtime d'un thème de *La Traviata* de Verdi, autre histoire d'amour maudit) et l'habile narration de Welles permettent de masquer le procédé. Sans la bande-son, toute cette partie manquerait de lien, mais avec elle, le tramway, les hommes dans le bar, le canot, le tuyau de poêle, et la scène où Eugène confectionne des vêtements défilent tout naturellement devant nos yeux. L'admirable économie de cette séquence contribue beaucoup à sa beauté. Le roman débute d'ailleurs d'une façon semblable – avec des commentaires grinçants sur les mœurs du XIXe siècle – mais il prend trois chapitres pour décrire les années d'enfance de George. Ayant la possibilité de *montrer* les métamorphoses de l'époque, Welles prend moins de dix minutes pour décrire les dix-sept premières années du garçon. La voix de Welles résume l'ascension et la chute de la dynastie des Amberson dans les deux premières phrases prononcées dans le film : « La Splendeur des Amberson date de 1873. Elle dura tout le temps qu'il fallut à leur petite ville du centre des Etats-Unis pour croître et devenir une sombre cité... » Le parallèle avec la tragédie grecque dans les premières scènes ne pourrait être plus évident : les gens de la ville forment le chœur, et on appelle une vieille commère « la prophétesse » ; quant à l'emprunt à *Oedipe-Roi*, il n'est pas moins clair dans la relation mère/fils. C'est par son approche indirecte du sujet que l'ouverture poétique du film rend encore plus tragique la tragédie qui suit. Tout ce qui n'a pas été dit (ou l'a été de manière légère) dans le prologue se retrouvera comme gravé en filigrane au fur et à mesure que le sombre destin des Amberson se réalisera lentement.

On voit George traverser la ville à deux reprises, quand il a neuf ans, et quand il en a dix-sept : ces deux traversées en voiture à poney, séparées par quatre courtes scènes, révèlent parfaitement le caractère de celui que Lucy Morgan appellera « Rides-Down-Everything » (« où il passe, rien ne repousse »). « George Amberson Minafer, l'unique petit-fils du Major, terrifiait tout le

La Splendeur des Amberson, *Tim Holt et Dolores Costello.*

La Splendeur des Amberson, *Agnes Moorehead et Tim Holt.*

monde avec des allures de prince », nous confie la voie off du narrateur, en commentaire à un très long plan d'ensemble où l'on voit la voiture se rapprocher de la caméra. Sortant du champ de vision vers la gauche, George réapparaît ensuite, après une coupure, se déplaçant toujours de droite à gauche et faisant passer sa voiture sur le tas de sable autour duquel s'affaire un ouvrier : après quoi Welles nous le montre dans trois plans consécutifs, s'éloignant de la caméra et traversant la ville. La voix de Welles continue alors : « Il y avait des gens – des adultes – qui exprimaient haut et fort leur plus profond désir : voir le jour, disaient-ils, où ce gars-là recevrait son châtiment. »

Comme il le fait avec Rosebud au début de *Citizen Kane,* Welles s'amuse de son thème central. Il nous montre en effet à ce moment-là un couple dans la rue : « son chati-quoi ? » demande la femme. « Son châtiment, répond l'homme d'un air farouche. Pour l'instant il roule carosse, mais un jour cela changera, et je veux être là pour le voir. » Ce dialogue est l'une des premières indications que le film prend une direction différente de celle du roman. Welles établit une plus grande distance entre lui et ses personnages que Tarkington ne le fait, ce qui explique en grande partie les gloussements des spectateurs incapables de voir la satire. Quand Eugène passe à travers la contrebasse vers le début du film, la voix de Welles est en train de dire comment les instruments vont « bientôt chanter la sérénade aux étoiles ». La même phrase chez Tarkington était teintée d'une ironie moins amère et faisait référence aux ballades populaires de l'époque.

La seconde traversée de la ville nécessite seulement quatre plans (au lieu de six), et la vitesse de la voiture est accrue : le montage accentue la notion de rapidité ; on utilise un grand angle restreint et l'effet désiré est obtenu, à savoir que George « n'a pas perdu sa suffisance » au collège dont il revient. Dans le troisième plan, immédiatement après le moment où George lève son fouet sur un ouvrier, la caméra s'avance lentement du sol vers la voiture : le moyeu lancé à toute allure fait une dangereuse embardée vers la caméra, dans ce qui se lit comme une succincte métaphore visuelle de l'outrecuidance de George.

Les ennemis de Welles à Hollywood avaient attribué le succès de *Citizen Kane* à la photographie de Gregg Toland, qui avait étudié de très près avec lui ses plans et la texture à donner au film. A l'époque où l'on tourna *La Splendeur des Amberson,* Toland travaillait avec Ford dans l'unité photographique de la marine. C'est donc Stanley Cortez qui prit la relève, continuant et précisant le travail de Toland sur la profondeur de champ, utilisée dans la presque totalité des plans de *La Splendeur des Amberson*. André Bazin a très bien expliqué tous les avantages, sur le plan psychologique et sur le plan dialectique, qu'il y a à donner la même importance focale à tous les objets d'une même scène (avec le procédé de Toland, des objets situés à plus de soixante mètres ont le même relief que ceux qui sont placés au tout premier plan). Le metteur en scène peut ainsi régler une sorte de chorégraphie pour chaque scène avec tout le raffinement qu'il désire, sans avoir recours à des coupures pour varier le point de vue du spectateur. De l'avis d'André Bazin, le travail sur la profondeur de champ, chez Renoir, et chez Toland lorsqu'il était responsable des images pour Welles ou pour William Wyler, représentait une véritable révolution dans le style cinématographique, une affirmation de l'intégralité de l'espace et du temps, qui allait à l'encontre des théories traditionnelles sur le montage cinématographique.

Toland disait simplement qu'on évitait ainsi « la perte de réalisme » résultant des changements d'angles. Welles, lui, soulignait combien on gagnait en ambiguité : « L'œil du spectateur choisit de cette manière ce qu'il désire voir dans un plan. Je n'aime pas lui imposer quoi que ce soit ». L'utilisation répétée de petits diaphragmes, bien qu'elle soit plus discrète que dans *Citizen Kane*, accentue encore l'importance de la relation des personnages à leur environnement. Cortez parvient aussi à recréer des clairs-obscurs qui rappellent des daguerrotypes et la photographie de Bill Bitzer pour les films de D.W. Griffith. Mais la puissance du film vient en grande partie de l'équilibre entre l'approche presque documentaire des extérieurs (qui est en soi une sorte de stylisation) et la stylisation méticuleuse des mouvements de caméra, de l'action et des dialogues. Comme l'a finement souligné James Agee, le film est tourné « d'un point de vue si nouveau qu'il crée un suspense visuel au moment même où il fait acte de clarification ».

L'omniprésence de la ville, l'ameublement baroque de la résidence, la métaphore implicite qui lie le destin de la demeure à celui de la famille, tout concourt à colorer le récit d'un fort déterminisme. Dans le contexte, George n'aurait pu évoluer autrement (« Pouvaient-Pas-Faire-Autrement » est le surnom que Lucy donne aux bois qu'habitent le Chef « où il passe, rien ne repousse »). Le choix méticuleux des décors – les champs idylliques, recouverts de neige et que strient seulement les fils de poteaux télégraphiques ou la petite ville endormie comme toiles de fond de la promenade en voiture de George et de Lucy ; et, à l'opposé, la ville bruyante et animée qu'ils traversent plus tard (de même que la métropole crasseuse que George parcourra seul) – ces différentes inflexions du décor dressent un parallèle entre l'histoire de la ville et celle de la famille. Le film conserve ainsi son souffle épique, malgré le tort que lui causent les coupures.

La voix de Welles nous confie que pour le retour de George, « des cartons d'invitation furent envoyés pour un bal donné en son honneur, et ce – court silence ironique – grand spectacle des manants fut d'ailleurs le dernier des grands bals dont « tout le monde parlait » et dont le souvenir persista longtemps. » La séquence du bal dure environ dix minutes : c'est l'un des moments les plus exaltants de l'histoire du cinéma. Un plan d'ensemble nous montre la résidence tout illuminée pour le bal, puis un fondu enchaîné révèle Eugène et Lucy, de dos, pénétrant à l'intérieur. La caméra les suit. Ce plan procure au spectateur une sensation extraordinaire de présence physique : des serviteurs, de part et d'autre, ouvrent grandes les portes, le sourire aux lèvres bien qu'ils doivent lutter contre le vent pour pousser les battants ; le valet, Sam, s'incline et prend le chapeau d'Eugène ; les couples passent devant la caméra tandis qu'à l'arrière-plan la fête bat son plein (pendant tout ce temps la caméra continue son travelling). Que dire des autres aspects de la scène ? Le chandelier de cristal étincelant qui se balance mollement, les grappes de raisin et les fleurs disposés partout dans la salle, les tenues étourdissantes des femmes, les manteaux opulents des hommes en cravate.

En contre champ, commence alors un lent travelling vers la file d'invités que George et Isabel accueillent. La caméra effleure un sapin de Noël très richement décoré, en parvenant près de l'Oncle John Minafer, rustre et tonitruant, qu'on entend raconter au Major comment son cadavre sera exposé dans cette même salle « lorsque son moment viendra », et dire aussi à George : « Il y eut un moment quand tu avais quatre mois où personne n'aurait cru que tu vivrais tant tu étais gringalet ! ». Il ne s'agit que d'une remarque anodine, mais elle détient la clef de la mégalomanie de George et explique l'absurde affection qu'Isabel lui portera jusqu'à sa mort. Sur son lit de mort elle demandera à George s'il a suffisamment mangé et s'il n'a pas attrapé un rhume en revenant à la maison, ce qui rappelle les premiers mots de Mrs Kane : « Fais attention, Charles ! Mets ton cache-nez, Charles ! » Charles fait mécaniquement le geste qui lui est demandé de faire, tandis que la réaction de George à la phrase indélicate de son oncle est un méchant « Pour s'en souvenir, on s'en souviendra ». Le premier contact avec George jeune homme trahit le personnage. La caméra, s'immobilisant, fixe sur la gauche son profil élégant et dédaigneux ; son visage est empreint de la ridicule arrogance qui tuera sa mère.

Nous voyons ensuite Eugène accueillir Isabel : Welles introduit un plan des trois visages, celui de George, las, sur la droite, de profil. Instantanément, sans qu'une parole ne soit prononcée, la tension est établie. Quand Eugène dit à George qu'« à partir de maintenant nous allons nous voir souvent – j'espère », les violons, hors-champ, entament un air guilleret. Quand Isabel présente George à Lucy quelques secondes après, les musiciens sont au beau milieu d'une modulation qui se transforme en une note aiguë et plaintive dès qu'Isabel a prononcé les mots « George, tu ne te souviens pas d'elle non plus, mais tu t'en souviendras, tu verras ». Robert Rossen parlait de la capacité qu'a Welles de raconter toute une histoire en un seul plan ; ici Herrmann raconte toute une histoire en une seule mesure.

Le reste de la scène gagne en fluidité à chaque instant : un long travelling arrière accompagne George et Lucy à travers la salle de bal, la caméra est dirigée vers le haut pour les suivre tandis qu'ils gravissent l'escalier (tout en montrant au premier plan un violoniste jouant une mélodie plaintive), puis un fondu enchaîné introduit un travelling sur les chassés-croisés des soupirants de Lucy devant George et la caméra, avant qu'on ne voie George et Lucy s'asseoir sur les marches (plan séparé du précédent par une simple coupure) et qu'enfin un ample mouvement de caméra ne nous présente dans un flou artistique la famille réunie autour d'une coupe de punch. Nous avons là l'amorce de ce qui devait être un panoramique pesque intégral de la salle de bal.

Le major plaisante Eugène et Isabel sur l'incident de la contrebasse, puis la caméra reculant légèrement amorce un panoramique à droite puis à gauche tandis que George et Lucy passent devant le buffet. Quand ils s'en éloignent on voit approcher un couple d'un certain âge. Il manque ici plusieurs répliques sur la dernière découverte culinaire de la ville – les olives : « Ne me demandez pas pourquoi ils ont voulu couper ça, dit Welles. Le résultat est cette rupture inutile dans une scène qui filait d'un trait. »

Quoiqu'il en soit, les mouvements de caméra restent éblouissants – même s'il y a un raccord là où l'on devait avoir le panoramique qui, partant de la gauche du couple, rejoignait

Eugène et Isabel en train de danser – la caméra semble toujours danser avec eux, s'immobiliser pour la brève conversation entre George et Lucy, avant de reculer alors que les jeunes gens s'éloignent en dansant et en échangeant les quelques mots de cette conversation admirable sur l'ambition de George : devenir yatchman. Il est probable que les remarques sur les olives aient suscité bien des rires étouffés lors de l'avant-première, en partie parce que c'est là qu'est la plus évidente sa satire des personnages. Voici d'après le scénario ce que disait le couple : « ... C'est pour manger, je te dis... on m'a dit qu'il suffit d'en manger neuf et puis qu'après, on aime... – Ben, j'imagine que tout le monde va sauter dessus pour s'en enfiler neuf, maintenant que les Amberson ont inventé ça. »

Le bal s'achève plus vite que nous ne voudrions (selon le principe wellesien de frustration du spectateur, dont c'est ici le meilleur exemple) sur un fondu enchaîné très lent, à la Sternberg : on y voit Eugène et Isabel danser au premier plan, puis à l'extrême arrière-plan, après que tous les autres danseurs sont partis. Welles porte ici à son sommet sa technique de la profondeur sonore. Nous entendons, vaguement, George et Lucy parler, puis leurs voix recouvrer leur volume normal quand intervient une coupure ; la musique s'arrête, au premier plan Eugène remercie Isabel et on entend, du côté du public, Jack crier : « Bravo ! Bravissimo ! » On entend à nouveau Eugène, puis George et Lucy à l'arrière-plan. L'utilisation linéaire des trois perspectives sonores crée une remarquable illusion de profondeur, et le mélange des voix au moment des adieux, qui vient immédiatement après, augmente encore l'intensité de cette scène étonnante. Le rythme des déplacements d'acteurs est tout aussi cadencé : Jack s'avance vers George tandis que la caméra amorce un panoramique à gauche ; Fanny court derrière eux ; Isabel surgit devant la caméra. A la fin de la scène, Isabel se tient au premier plan entre les deux profils (tournés l'un vers l'autre) de Lucy et de George. La surface plane de l'écran devient étrangement tri-dimensionnelle.

Peu après, Welles a recours au montage sonore durant la dispute familiale dans le hall pour créer une autre sorte de tension surréelle, quand les voix de Fanny, de Jack et de George, tous en proie à l'irritation, se succèdent avec une grande rapidité. Agnes Moorehead donne au personnage de tante Fanny, dans ses brèves interventions, autant d'épaisseur qu'elle avait su en donner à Mrs Kane. Les rires gras qui accueillent immanquablement les apparitions de tante Fanny lors des projections du film témoignent de tout ce que l'actrice donne à voir dans ce personnage torturé. C'est une prestation effrayante et d'une grande beauté qui me touche profondément chaque fois que je vois *La Splendeur des Amberson*.

La scène suivante, celle de la neige, joue sur le contraste entre la grâce du traîneau (qui se renverse bientôt) et les grondements grotesques « du réchaud tout cassé » d'Eugène Morgan. Les scènes où Morgan tente de faire démarrer l'automobile avec l'aide de George (plutôt récalcitrant) ont pour fond un décor stylisé de maisons, de barrières et de fils télégraphiques. L'automobile n'est encore qu'un jeu dans cette scène située dans un décor où prime la pureté de la neige – dans l'une des scènes coupées, George disant que les gens n'emmenaient pas leur éléphant quand ils se rendaient en visite, se demandait pourquoi ils emmenaient leur automobile –, et la chanson de la promenade symbolise l'esprit de la scène autant que « Oh, M. Kane ! », qui traduisait aussi la fin d'une époque heureuse. Dans le roman, les excursionnistes entonnaient « The Star-Spangled Banner », ce que nous a épargné Welles en extrayant une chanson d'un autre chapitre :

« As I walk along the Boy de Balong
With an independant air,
The people all declare,
« He must be a millionnaire ».
Oh, *You hear them sigh, and wish to die,*
And see them wink the other eye
At the man who broke the bank at Monte Carlo !

La fermeture en fondu à l'iris commence lorsque l'automobile et la chanson se perdent dans le lointain. Le scénario prévoyait que le film débutât sur une ouverture en fondu à l'iris et que la scène de la neige s'achevât sur un simple fondu : l'idée d'avoir interverti les deux est lumineuse.

L'allegro s'achève, commence l'andante avec le progressif assombrissement du thème. Une ouverture en fondu fait apparaître la porte d'entrée de la résidence (ouverte dans la scène de bal il y a un instant) ; sur un battant une couronne mortuaire, sur l'autre l'ombre d'Eugène. La musique cesse brusquement quand la porte se ferme avec un bruit sec derrière les Morgan – à l'intérieur, voisins et membres de la famille défilent autour d'un cercueil. La caméra prend la place du cercueil, position qui lui est déjà donnée par Carl Dreyer dans *Vampyr* (1932), mais à des fins différentes. L'effet permet ici d'annuler les sentiments que nous pourrions éprouver pour la mémoire de Wilbur Minafer, le père de George (quoique nous ayons à peine rencontré le personnage) : il devient ainsi impossible de nous identifier à lui − si l'on en croit la théorie de caméra subjective/caméra objective de François Truffaut.

Un film dans lequel la caméra joue un rôle, tel le scénario de Welles d'après Conrad, ou *The Lady in the Lake* de Robert Montgomery, est à l'exact opposé du film subjectif, qui dépend de l'identification des spectateurs aux sentiments du personnage. Le seul moyen de s'identifier à une personnage, dit Truffaut, est de le voir. L'exemple classique de la caméra subjective est l'entretien du psychiatre avec le garçonnet dans *Les Quatre Cents Coups* : la caméra se concentre sur le visage de l'enfant dont nous lisons tous les sentiments. Welles fait sienne cette règle de base pour l'intégrer à son style propre. Lorsque Kane enfant reçoit de son tuteur un traîneau comme cadeau de Noël, par exemple, la caméra, d'abord fixée sur le visage du garçon, bascule pour nous donner en contre-plongée une vision ridiculement oblique de l'effrayant bon-homme. Le même plan nous fait donc voir Charles, et Thatcher avec l'angle de vue du garçonnet ; nous comprenons bien ainsi le pouvoir que le tuteur exerce sur l'enfant.

Dans la scène du cercueil, notre attention n'est pas dirigée vers ce dernier, mais sur la famille qui l'entoure et particulièrement Fanny, qui s'approche de la caméra pour apparaître, dans un gros plan qui couvre tout l'écran, le visage maculé de larmes − versées davantage sur son propre sort que sur celui de son frère. Un fondu enchaîné nous fait passer de son visage à celui de deux habitants de la ville qui, le regard fixé sur la caméra comme les gens en deuil de la scène précédente, forment le chœur : leur commentaire est caustique ; l'un d'eux dit en effet : « Wilbur Minafer − c'était un homme bien tranquille − on s'apercevra à peine qu'il n'est plus des nôtres ». Cette scène, où les deux sinistres individus en habit de deuil sont filmés devant un ciel clair en contre-plongée (du point de vue de la tombe donc) n'était pas dans le scénario. Elle devait suivre à l'origine un plan de la tombe de Wilbur qui a été supprimé.

La prochaine scène à avoir été maintenue dans la version distribuée du film est la fameuse scène de la cuisine. George, assis à la table face au public, se gave, et Fanny le questionne sur l'attitude d'Eugène et d'Isabel à sa remise de diplôme, dont il revient. Par deux fois, au début et à la fin de la scène, la caméra s'avance lentement nous donnant l'impression de commettre une indiscrétion en assistant à une confrontation révélatrice et troublante à la fois, en ce qu'elle oppose une personne qui cache ses sentiments, tandis que l'autre les exhibe. Nous partageons la moindre hésitation, le moindre geste des acteurs, que ne vient modifier aucune intervention du monteur. Le fait de nous montrer la scène dans son intégralité signifie que les hésitations sont aussi importantes que les gestes. L'atmosphère est des plus baroques : une kyrielle de pots et de casseroles pendent à l'arrière-plan, il y a un énorme fourneau à gauche, de longues ombres noires au plafond, tout un ensemble de plats, de pichets et d'assiettes au premier plan. George, quant à lui, ne cesse de se gaver.

Welles nous a laissé une impression fausse de la scène : « Il y eut cinq semaines de répétitions avant le tournage, et pour cette scène en particulier, les acteurs ont travaillé pendant quatre jours au moins, mais la scène n'a jamais été écrite. Pas un mot n'était écrit d'avance – nous avons parlé de la vie, du caractère, du passé de chaque personnage, de sa position à ce moment précis de l'histoire, de ses pensées en général – puis nous nous sommes assis, nous avons mis la caméra en marche et les acteurs ont improvisé leur dialogue au fur et à mesure. La scène dure en tout trois minutes et demie environ et le texte est dû entièrement aux acteurs, qui l'ont improvisé : je suis très fier d'eux. Le résultat est extraordinaire et n'est dû qu'à leur travail durant la préparation. »

La lecture attentive du roman et du scénario contredit les allégations de Welles : à quelques différences près, la scène reprend la première partie du chapitre XVI du roman. Jack (personnage à la Falstaff qui s'appelle en fait George Amberson dans le livre) n'y apparaît pas cependant ; son texte, dans le film, est tiré d'un de ses monologues du chapitre XV, et d'un monologue de George Minafer dans le chapitre XVI. En outre, la scène figure bien dans le script – pages 64 à 68. Les seules paroles improvisées concernent la voracité de George : « Ne te jette pas sur ta nourriture... Ne mange pas si vite, George... Tu veux encore un peu de lait ? – Non, merci... – Tu vas grossir. – Eh bien tant pis ! » Mais la louange des acteurs est méritée : la scène semble tournée sur le vif parce qu'ils savent si bien mêler au texte quelques remarques improvisées. Agnès Moorehead parvient encore une fois à trouver le ton, et à en changer avec une extrême maîtrise ; le style compassé de certaines des répliques de Tim Holt et de Ray Collins ajoute en fait à la vaisemblance de la scène.

Cette dernière s'achève avec un fondu sur les paroles de Jack : « Je ne sais pas trop ce qui reste à Fanny, hormis ses sentiments envers Eugène ». Suit un plan où l'on voit un forgeron travailler l'acier dans la manufacture d'Eugène. Mais entre les deux manquent plusieurs scènes. Dans le script, George, à la fenêtre (comme il l'est maintenant dans le fondu), crie « Saperlote ! » et se précipite à l'extérieur car la pelouse de la résidence est défigurée par un chantier. Furieux, il reste debout sous la pluie ; Jack arrive alors, et lui offrant la protection d'un parapluie, défend la décision du Major d'autoriser la construction d'un lotissement. Un fondu nous aurait ensuite fait passer à l'entrée de la manufacture : Morgan – Morgan horseless carriages (voitures sans chevaux) – avec le buggy de George et l'automobile d'Eugène garés devant. Et c'était seulement après ce plan que Welles avait l'intention de placer le raccord introduisant un travelling sur le groupe à l'intérieur de la manufacture.

La suppression de la scène du chantier – et de scènes ultérieures ayant trait aux mesures d'économie du Major – dépouille le film de quelques-uns de ses commentaires les plus aigus sur le conflit ville-famille. La scène de la manufacture – avec les ouvriers en plein travail tirant sur des câbles et poussant des automobiles, avec le modèle exposé, avec en toile de fond d'énormes machines – met admirablement en valeur, au milieu de ses bourdonnements l'utilisation de plan serré : le visage angoissé de Fanny se tournant lentement vers la caméra quand Isabel et Eugène évoquent leurs souvenirs de l'« Invincible », le prototype de Morgan, que l'on voit dans leur dos. Une courte scène qui a été supprimée devait montrer George et Lucy qui, reprenant place dans leur buggy, se moquaient du « sentimentalisme » de leurs aînés.

Après la brève conversation sur la pelouse entre Eugène et Isabel, qui apparaît à ce moment dans le film tel qu'il est distribué, alors que Welles l'avait prévue trois scènes plus tard, on voit George conduire Lucy à travers la ville. Le buggy avance d'abord derrière le nuage de gaz d'échappement qui sort de l'automobile d'Eugène, puis l'on saute brusquement à un plan où on le voit poursuivre fièrement son chemin le long des rues ; la musique souligne la désinvolture que cette coupure signale. Le long travelling est un exemple célèbre de l'utilisation par Welles du contrepoint caméra/personnage. A la fin du travelling, la caméra gagne lentement du terrain sur le véhicule, et l'on s'aperçoit que le chariot de la caméra a roulé sur des rails de tramway. Welles, pour nous montrer combien la caméra est partie prenante dans la scène, va jusqu'à montrer dans le coin inférieur gauche de l'image la roue d'un véhicule – celui qui sert de chariot.

La caméra s'immobilise ; le buggy de George disparaît vers la droite, entraîné par les chevaux lancés au galop, et suivi par celui du Major : un rapide fondu nous présente ce dernier et Jack en conversation dans le deuxième buggy. Cette procession des générations – d'abord l'automobile, puis George, et enfin le Major – est une superbe métaphore visuelle. La scène du buggy a été tronquée : le dialogue nous fait comprendre qu'elle l'a été en raison d'une référence au chantier mentionné plus haut. Après le passage où le Major dit que la ville roule sur son cœur et « l'ensevelit », il manque les phrases suivantes :

Major : Quand je pense à ces enragés d'ouvriers qui trouent ma pelouse et crient à tue-tête autour de chez moi.

Jack : Ça n'est rien, père, n'y pensez pas. Lorsqu'on a des ennuis, il vaut mieux essayer de ne pas s'en souvenir.

Major (dans un murmure) : J'essaie. J'essaie de me souvenir qu'il ne me reste pas longtemps à me souvenir de quoi que ce soit. *(Dans un accès de bonne humeur et se tapant le genou).* Il ne me reste pas bien longtemps, mon garçon. Pas bien longtemps maintenant. Pas bien longtemps !

Dans la version que nous connaissons la scène suivante est celle de la querelle durant le dîner mais, à l'origine, la scène du buggy devait être suivie d'un fondu et d'une conversation sur la véranda de la résidence. Bicyclettes et surreys forment, le soir venu, un flot continu et rapide que vient troubler par moments le vacarme d'une automobile. D'une humeur sombre, George se soucie peu de la conversation. Le chantier des cinq maisons, sur la pelouse, est bien avancé, l'une des maisons est en fait terminée. Fanny dit à Isabel que les autos ne sont qu'un engouement passager, « comme les patins à roulettes ». « D'ailleurs, poursuit-elle, les gens ne les tolèreront pas très longtemps. Je ne serais pas surprise qu'on vote une loi prohibant la vente des automobiles, comme celle des armes. » Isabel lui répond gentiment par une question quant à sa sincérité lorsqu'elle a remercié Eugène pour la promenade automobile de l'après-midi, et Fanny prétend qu'elle « ne s'est pas montrée si enthousiaste », qu'il « me semble un peu tôt » pour que quiconque puisse imaginer qu'Eugène l'a obligée de quelque manière que ce soit.

Suit un silence gêné, ponctué par le seul craquement du rocking chair d'osier de Fanny, craquement à propos duquel Tarkington écrit cette phrase dans le roman : « Toute une série de cris humains n'auraient su décrire avec plus d'éloquence le trouble de cet instant ». Puis Isabel s'aperçoit que de l'autre côté de la rue, Mrs Johnson les espionne de la fenêtre de sa chambre avec une paire de jumelles et, lançant une plaisanterie, elle rentre dans la maison. Fanny critique presque ouvertement l'« étrange » comportement d'Isabel, qui n'a pas porté le deuil « le jour même de l'anniversaire de la mort de Wilbur ! » puis elle rentre dans la maison à son tour, faisant claquer la porte derrière elle, sous le regard indifférent de George qui reste seul. Venant alors la scène qui, malgré toute sa beauté, décida probablement la RKO à supprimer la séquence — sans doute fit-elle hurler de rire le public de l'avant-première.

Tandis que George reste assis à ruminer ses pensées, Lucy « apparaît en surimpression, à la mode ancienne (comme, dans les films muets, un spectre). Elle se jette à ses pieds sur les marches ». Dans sa vision George entend Lucy le supplier de la pardonner et lui promettre que jamais plus elle n'écoutera son père. George accorde son pardon solennellement avant de s'apercevoir qu'il parle seul. Il saute alors brusquement sur ses pieds en maugréant : « Pardonner, rien du tout ! ». Il imagine ensuite Lucy « comme elle est probablement à l'instant même : assise sur le porche de sa maison au clair de lune entourée de quatre ou cinq garçons, dont les rires fusent sans doute, tandis qu'un idiot joue de la guitare. » Le pavé de la véranda résonne sous les pas de George qui, furieux, répète inlassablement : « gueuse ». Un fondu devait alors ouvrir sur la scène de la pelouse.

Le drame atteint son paroxysme dans la scène qui suit dans la version distribuée, durant la séquence du dîner, quand George déclare que les automobiles sont un véritable fléau ». C'est là la première prise de position publique de George : à partir de ce moment, il fera tout pour contrecarrer l'idylle de sa mère. Cette scène, dont on sait que c'est la préférée de Welles, se distingue par un brillant travail de montage : dans les premiers plans, George reste à l'arrière, à l'écart de la conversation. Il est hors-champ quand il laisse échapper la phrase citée plus haut ; tandis que l'on voit parler Eugène et le Major, il y a un raccord puis l'on passe à Jack qui retire sa main de la table et à Isabel qui retient son souffle, la tête légèrement en arrière, les yeux presque fermés. Ce n'est qu'alors que Welles nous montre George, répétant sa phrase et ajoutant qu'« on n'avait pas à les inventer ». Réprimandé par Jack (par le Major dans le roman, Jack n'étant pas présent à la scène), George se retrouve seul, l'air renfrogné. Une ombre gigantesque en forme de croix, au fond, rappelle celles qui apparaissent dans les scènes les plus sombres de *Citizen Kane* : l'ouverture, le montage du petit déjeuner, la tentative de suicide de Susan, la fin. Welles s'en sert énormément dans *Othello* aussi, en montrant à maintes reprises la cage de Iago.

Le discours d'Eugène sur la capacité de l'automobile à changer la mentalité des gens vaut surtout par les différentes expressions qu'il suscite sur son propre visage et sur celui de George, et que nous montre une série de gros plans. Eugène prétend partager l'avis qu'« on n'avait pas à inventer » les automobiles, ses paroles laissant entendre que les deux hommes sont d'accord, alors que leurs visages proclament le contraire. Eugène s'excuse et part, Fanny se précipite après lui et quand, quelques instants plus tard, on voit Jack rentrer par la porte, la caméra balaie le champ, de George sur la gauche à Isabel sur la droite, pour venir réunir Jack (au fond) et George (maintenant sur la droite) dans un même plan. Après une seconde rebuffade de Jack, George jette sa serviette et s'élance vers la porte – la caméra, pivotant soudain sur la droite pour suivre son mouvement, nous montre Isabel, qui se lève au même moment. Un bref raccord nous montre George ouvrant la porte du côté du hall, où Fanny l'arrête. Ce montage rapide et précis, complétant le jeu des acteurs et la finesse toute sculpturale des éclairages, permet de révéler quel degré a atteint la colère de George.

La scène qui suit, celle de l'escalier, est l'une des plus réussies parmi celles où Welles utilise une grue de prise de vue. George suit Fanny (« C'est toujours Fanny, notre vieille et ridicule Fanny – toujours – toujours ! ») parmi des ombres géantes ; ils s'arrêtent au premier palier, où la caméra légèrement inclinée vers la droite, filme George en train de secouer sa tante. C'est l'une des scènes les plus mémorables d'Agnes Moorehead, qui sait traduire à la fois sa colère envers George, sa jalousie envers Isabel, et un évident apitoiement sur son propre sort, qui n'excluent pourtant pas une certaine sympathie pour George. Quand elle dit que l'idylle n'aurait jamais évolué de cette manière si Wilbur avait vécu, son neveu, incrédule, lui demande : « Est-ce que tu veux dire que Morgan aurait pu t'épouser ? » Elle s'éclaircit la gorge – la tête renversée, les doigts tapotant nerveusement la rambarde – avant de répondre avec une délicieuse inflexion de voix : « Non.. parce que je ne pense pas que... j'aurais accepté sa main. »

La maison des Amberson au temps de sa splendeur, *Ray Collins, Joseph Cotten, Richard Bennett et Tim Holt.*

La Splendeur des Amberson, *Ray Collins et Anne Baxter.*

George la quitte précipitamment et la laisse pétrifiée. Durant l'interrogatoire que George fait subir à Mrs Johnson – la vieille commère –, la caméra elle-même semble écouter aux portes et redéfinit le personnage par cinq cadrages différents au cours de la quasi-révolution qu'elle opère dans la pièce. Le plan qui sert de transition à l'issue de cette scène rappelle par la violence de l'image, l'apparition du cacatoès dans *Citizen Kane* : George, dans son complet sombre, sort de l'image à gauche à grandes enjambées – tout de blanc vêtue, Mrs Johnson reste indignée –, intervient ensuite un plan où l'on voit couler l'eau du bain de Jack, ce dernier et le robinet émettant le même genre de gémissements. L'air solennel et sinistre de George lorsqu'il sort de la salle de bain appelle de la part de Jack le commentaire suivant : « Pour l'amour de Dieu, ne sois pas si théâtral ! », phrase qui, à l'instar de celle de Kane, « J'ignorais que tu avais un tel sens du mélodrame, Emily », est aussi un commentaire ironique de l'artiste sur son travail. Les trois scènes suivantes ont été coupées.

La porte de la chambre d'Isabel s'ouvre au moment où George pénètre dans le hall. Il se réfugie dans l'ombre quand il entend la voix de sa mère. Elle ouvre la porte de la chambre de George, constate qu'il est sorti, retourne dans la sienne. Sans bruit, il se dirige vers l'escalier pour aller dans la salle de bal. La scène suivante ressemble à d'autres dans *Citizen Kane* ou *La Dame de Shanghai* : « Le clair de lune, par la verrière, illumine la pièce. George s'avance jusqu'au centre, et s'arrête, son image réfléchie par les glaces en trumeau qui recouvrent tous les murs. » Tel Kane, il voit son propre moi se réfléchir à l'infini, mais ce moment de prise de conscience est interrompu par la voix d'Isabel et le bruit de ses pas.

Comme elle s'arrête dans l'escalier, il ne peut se cacher nulle part, et ne sait répondre que par monosyllabes lorsqu'elle lui souhaite timidement une bonne nuit. On nous la montre s'éloignant, puis un fondu nous fait voir George dans le salon, le lendemain, en train de déballer une photographie encadrée de son père. Il murmure, à mots entrecoupés : « Pauvre Père, pauvre Père ! Pauvre homme, je suis heureux que tu n'aies rien su ! ». Après s'être dirigé vers la fenêtre, il s'assoit pour regarder à travers les rideaux. Dans le silence pesant s'élève alors la voix d'Isabel qui chante cette chanson :

Lord Bateman was a noble Lord,
A noble lord of high degree ;

And he sailed West and he sailed East,
Far countries for to see...

Ce prélude à la visite d'Eugène se fait indistinct, devient un sifflotement, n'est plus que fredonné puis se perd dans le silence. George continue de regarder fixement par la fenêtre.

La suite de la séquence figure dans la version distribuée du film : Eugène arrive ; George le regarde par la fenêtre ; George ouvre la porte et lui ordonne de repartir. « Peut-être vous faut-il *ceci* pour comprendre », dit-il, et il lui ferme la porte au nez. Pendant dix secondes environ on voit, à travers la vitre dépolie, Morgan, immobile sur le seuil. Puis il repart, et George rentre dans la maison, faisant claquer la porte du hall d'entrée derrière lui. Manque ensuite une scène dans le salon, au cours de laquelle Isabel, sifflotant toujours « Lord Bateman » trouve George assis dans la pénombre. Comme on a entendu tinter la sonnette de la porte d'entrée et que la bonne vient dire que c'était un colporteur, Isabel demande à George ce que vendait cet autre colporteur venu plus tôt et dont il a parlé à la bonne. « Il n'a pas dit ce qu'il vendait », répond George. Une certaine tension naît quand Isabel aperçoit le cadre d'argent que George a placé sur la table : elle demande s'il s'agit d'une photographie de Lucy, mais, en s'en approchant, elle pousse un long « Oh ! » à peine audible. George gardant le silence, elle dit alors : « C'est très délicat de ta part, Georgie. J'aurais dû la faire encadrer moi-même lorsque je te l'ai donnée. » Elle pose sa main sur l'épaule de George, la retire et sort. George fait de même quelques instants plus tard.

Des fondus devaient relier deux courtes scènes montrant le fils qui observe sa mère alors qu'à la fenêtre du salon, celle-ci attend la venue d'Eugène. Une troisième scène devait le montrer quittant sa chambre alors que Jack, hors champ, sonnait à la porte. Dans la version présente nous passons, par l'intermédiaire d'un fondu, du plan où George rentre dans la maison après avoir éconduit Eugène, à celui où Isabel attend à la fenêtre (le plan suivant dans la séquence telle qu'elle était prévue à l'origine). Dans cette scène la caméra de Wilbur est placée de manière stratégique. Isabel se lève pour aller dans le hall. Un raccord nous fait alors passer à Jack : il entraîne Isabel, toujours dans le hall, afin de lui révéler ce que George a fait. Un laborieux travelling vertical, accompagné d'une musique pesante, nous montre alors Fanny qui dévale l'escalier parmi des ombres menaçantes, et empêche George d'aller déranger sa mère. Après quoi devait se dérouler, dans la chambre de George une courte scène, sombre et pathétique, au cours de laquelle Isabel réconfortait son fils et lui disait tout bas : « Tu ne dois pas te faire de souci, mon chéri », mais le passage a été coupé.

Les scènes suivantes, celles de la lettre, ne sont pas réussies ; il faut signaler cependant le travelling vertical du hall vide (que viennent de traverser Jack et Isabel), glissé entre le plan où l'on voit Eugène écrire la lettre et celui où Isabel la lit. Rien ici n'a été tourné par Welles et l'affrontement de la mère et du fils a été refilmé, apparemment de façon à atténuer la réaction de George au projet de mariage d'Eugène et de sa mère. Dans le scénario, George trouvait la lettre « outrageante » et disait à Isabel qu'il « faisait ce que son père lui aurait demandé de faire », qu'il la « protégeait ». Elle capitulait – mais ni si facilement, ni d'une manière aussi insipide que dans la nouvelle version. Isabel devait quitter la pièce en larmes ; resté seul George s'examinait dans un miroir et murmurait le monologue de Hamlet commençant par *T'is not alone my inky cloak, my good mother (Ce n'est pas seulement mon manteau d'encre, ma chère mère)*.

Deux brèves scènes devaient alors montrer Isabel écrivant une lettre dans laquelle elle se soumettait aux exigences de son fils, puis la lui lisant.

Le long travelling dans la rue, dans la scène suivante, qui réunit George et Lucy, ne nous présente plus le combat de deux volontés comme dans leur précédente traversée de la ville, mais l'ascendant que la jeune fille exerce sur le garçon. C'est pourquoi la caméra garde continuellement ses distances par rapport à eux. Le naturalisme « à la Stroheim » de Welles domine ici – on voit derrière eux sur les carreaux des fenêtres des immeubles, le reflet des bâtiments de l'autre côté de la rue, comme c'était déjà le cas dans le plan de la première traversée. Mais les choses ont changé : le nombre de piétons a augmenté sur les trottoirs, et ils marchent plus vite, de même que la circulation est plus dense. Parmi les véhicules qui se reflètent sur les vitres se trouvent des « Model-As ». Il y avait dans le plan de la première traversée plus de résidences que de magasins : à la place de la quincaillerie modeste d'autrefois il y a un magasin de nouveautés, une grande banque, un cinéma et une pharmacie ». Un entrepôt a acquis un deuxième étage depuis la dernière fois que nous l'avons vu. A l'entrée du cinéma, des affiches, l'une d'un film de Méliès et l'autre annonçant « Jack Holt dans *Explosion*» sont des hommages, la première d'un magicien du cinéma à un autre, la deuxième au père de Tim Holt, ancien cascadeur qui commença sa longue carrière dans le Western en 1919, quatorze ans avant la date supposée de cette scène.

Ce plan est le plus étrange du film. Il est vrai, comme l'ont pensé certains critiques, que l'étonnante indifférence de Lucy envers George s'expliquerait mieux si l'on n'avait pas pratiqué de coupures. La place de la scène dans le film est conforme aux désirs de Welles, mais il faut se souvenir que la scène de la « vision » de George a été coupée, or, c'est là que la jeune fille apparaissait pour la dernière fois avant la deuxième traversée de la ville. A la fin de la scène on la voyait entourée de cinq garçons et si la scène avait été conservée, son attitude serait plus facilement compréhensible. Au début du plan, elle interrompt George qui va lui poser une question :

– N'avez-vous pas...

– N'ai-je pas quoi ?

Il abandonne le sujet et il est clair qu'Eugène n'a pas mis sa fille au courant de l'incident de la veille (si c'était le cas, elle n'adresserait pas la parole à George).

La seule explication qu'on puisse trouver maintenant à son attitude réside dans ses commentaires sur « leur querelle et sur le fait qu'ils ne s'étaient par parlé sur le chemin du retour pendant cette promenade... » Le spectateur a du mal à relier ces paroles à leur première traversée de la ville, séparée de la deuxième par une douzaine de scènes. Lucy se mettant à taquiner George à propos de l'absurdité de leur comportement en cette occasion passée, le spectateur ne comprend pas si elle sait que George a refusé à Eugène l'entrée de la résidence. Et quand celui-ci s'éloigne en marchant et que Welles introduit un gros plan de Lucy où ne figurent que les éléments sombres de sa tenue – col, chapeau et manchon – ce changement de ton qui aurait été si frappant si le film n'avait pas été remanié, ne fait qu'augmenter notre confusion. Quant au moment où elle s'évanouit à l'intérieur de la pharmacie... il n'a plus aucune pertinence, puisque la séquence devait servir de contrepoint à une scène bien antérieure, et faire référence à une scène supprimée.

Les trois scènes suivantes ont été coupées, et la quatrième, de toute évidence, refilmée. Dans la première on voit, d'après le script, les cinq nouvelles maisons sur la pelouse de la résidence. Un flot régulier d'automobiles défile devant elles, avec de temps en temps une bicyclette et, à de rare occasions, un surrey ou un buggy. Un plan d'ensemble, puis un plan plus rapproché, montrent le Major et Fanny sur la véranda ; leur dialogue concerne les problèmes financiers du Major, auxquels il a tenté de remédier (sans succès) en faisant construire ce lotissement, et les investissement de Fanny et de Jack dans la fabrique de phares. Le dialogue se teinte d'ironie :

Le Major (d'un ton grave) : Isabel veut rentrer. Elle ne parle que de cela dans ses lettres. Jack dit dans sa lettre qu'elle ne parle de rien d'autre.

Il ne reçoit aucune réponse de la part de Fanny.

Le Major : Il y a longtemps qu'elle désire rentrer. Elle devrait revenir tant qu'elle peut encore supporter le voyage.

Nouveau silence.

Fanny : Les gens font des fortunes colossales avec tout ce qui concerne les voitures à moteur, il semblerait bien que – j'ai écrit à Jack que j'allais y penser sérieusement.

Le Major (riant) : Eh bien, Fanny, peut-être pourrions-nous être partenaires. Qu'en dirais-tu ? Et millionnaires encore !

La scène disparaît dans un fondu puis on découvre une voiture de maître gravissant l'allée de la grande résidence georgienne des Morgan. Un autre plan nous montre Lucy et Jack à l'intérieur de l'automobile. Lucy ne comprend pas très bien lorsque Jack lui dit : « Nous voici de retour à la résidence des Amberson, si ce n'est qu'aujourd'hui elle est de style georgien et non plus d'un style pseudo-roman ; mais c'est toujours la même résidence que mon père a construite bien avant que vous ne soyez née . » Elle rit « comme un ami devrait », après quoi ils pénètrent dans la maison. Une scène d'intérieur voit Jack taquiner Lucy sur ce qu'elle est toujours la reine du bal, et parce qu'elle a récemment refusé la main d'un des amis de George. Elle rit, un peu embarrassée.

Jack : Ici au moins, vous respirerez autre chose que de la fumée !

Lucy (riant) : Pour quelque temps. Jusqu'à ce qu'elle nous rejoigne et que nous devions aller encore plus loin.

Jack : Non. Toi tu resteras ici. Quelqu'un d'autre ira habiter ailleurs.

C'est alors qu'un fondu enchaîné nous fait passer à la scène où Jack confie à Eugène et à Lucy le désir qu'a Isabel de revenir de l'étranger, et le fait qu'elle devrait utiliser une chaise roulante. Le film dans sa version présente nous montre ensuite l'évanouissement de Lucy, scène qui s'efface dans un fondu avant que nous voyions le zoom très lent (le seul du film) où Jack et Lucy gravissent l'escalier de la résidence des Morgan. Le dialogue expose la situation avec un maximum d'économie : « Très gentil à vous, Lucy, à vous et à Eugène de me recevoir dans votre nouvelle demeure, le premier jour de mon retour. – Vous trouverez sans doute notre vieille ville bien calme après Paris. » Le studio ayant coupé toutes les scènes concernant les nouvelles maisons sur la pelouse, se retrouva dans l'obligation de donner une explication à l'intervalle de cinq ans qui sépare cette scène (nous sommes en 1910) de celle de l'évanouissement, qui se passait en 1905, juste avant le départ pour l'Europe de George et d'Isabel. On décida donc d'en tourner une nouvelle ; celle-ci mène très maladroitement à la discussion complètement statique de la bibliothèque des Morgan, qui s'intégrait probablement bien dans le film d'origine, mais qui est ici d'une lenteur évidente.

A la suite des courtes scènes de l'arrivée d'Isabel à la gare, et de son parcours vers la maison (« Que c'est changé, – Que ça a changé ! »), le scénario prévoyait une scène qui se déroulerait devant la porte de sa chambre au deuxième étage. Le Major demande à voir sa fille d'un ton plaintif et quand il est admis dans la pièce, Fanny demande à George si Eugène peut rendre visite à sa mère. George refuse catégoriquement, refus que Fanny transmet à Eugène. Après avoir demandé à « entrer un instant dans la chambre pour la voir », il capitule. Ces scènes ont toutes été fondues en une seule, celle que nous connaissons, et dans laquelle on voit George, au pied de l'escalier, refuser à Morgan l'accès de la chambre de sa mère, puis Morgan le défier, et enfin Fanny qui intervient : « Je crois qu'il vaudrait mieux vous en abstenir pour l'instant – le médecin a dit... » parvient-elle à dire avant d'éclater en sanglots. Jack se range de son avis si bien qu'Eugène part, suivi des yeux par Fanny.

La modification apportée au scénario est malheureuse. Avoir reporté la responsabilité de la décision sur Jack et sur Fanny enlève de son poids à l'un des thèmes les plus forts du livre (et du scénario) : le sentiment de culpabilité éprouvé par George parce qu'il refuse d'exaucer le dernier souhait de sa mère. Dans le plan suivant on voit le visage de George en surimpression sur la fenêtre, tandis qu'Eugène rejoint son automobile : l'image semble suggérer que George a dicté leur décision à Fanny et à Jack, ce qui contredirait la scène de l'escalier. Et si Fanny s'est opposée au désir d'Eugène à cause de la jalousie qu'elle éprouve envers Isabel, pourquoi Jack s'y oppose-t-il lui aussi ? Le sens de la scène a donc été obscurci à la fois lors de la réécriture et (apparemment) lorsqu'on a refilmé la scène.

On entend ensuite la voix de l'infirmière appeler George auprès de sa mère car celle-ci veut le voir. Au moment où George se retourne, Welles coupe et nous fait passer de la surimpression du visage sur la vitre au visage lui-même. L'effet est très fort : c'est un choc visuel, un renversement complet de l'image de George, qui prouve à quel point ce dernier est ébranlé. (Il faut comparer ce passage à celui où, à la fin de *La Dame de Shanghai,* les balles brisent en éclats les images, reflétées dans un miroir, de Bannister et de sa femme. La puissance de l'effet permet à Welles de jouer sur le mode mineur la scène du lit de mort. Ayant déjà montré son chagrin à la fenêtre, George exprime maintenant plus de honte que de chagrin, lorsque sa mère lui pose des questions pathétiques : « Mon chéri – as-tu mangé ? » « Oui, mère ! » « Autant que tu voulais ? » « Oui, mère ». Quand elle dit qu'elle aurait aimé voir Eugène au moins une fois, George, honteux, se détourne. Isabel fait tous les efforts possibles lorsqu'il quitte la pièce pour le suivre du regard jusqu'au dernier instant.

Du visage d'Isabel, nous passons par un fondu enchaîné à ce qui est peut-être le plan le plus saisissant de tout le corpus

La Splendeur des Amberson, *Orson Welles, Joseph Cotten et Dolores Costello.*

wellesien. Ce fondu enchaîné, très lent, et accompagné par le double motif musical utilisé dans *Citizen Kane* — le motif du « pouvoir », avec les tons graves des cuivres, et celui de « Rosebud » joué au vibraphone — nous révèle le Major plongé dans un sommeil agité sur le lit de George. Il s'éveille soudain et la musique suggère qu'il émerge d'un cauchemar ; il se lève en proie à la terreur. Dans un soudain mouvement hallucinatoire, la caméra s'éloigne de lui. Jack passe devant lui, mais la caméra reste fixée sur le Major pendant un instant avant de balayer le champ vers la droite pour le suivre alors qu'il avance en chancelant dans la direction de Jack (maintenant hors-champ) — on voit brusquement Fanny prendre dans ses bras George, qui se tient debout, dos tourné à la caméra, au tout premier plan. « George ! Elle t'aimait ! Elle t'aimait ! » dit-elle. On ne voit pas le visage de George, seulement son dos : ici Welles atteint la fusion caméra objective/caméra subjective, qu'il avait déjà réussie dans les scènes du reporter dans *Citizen Kane*. Si les deux imperceptibles mouvements de caméra obtiennent un effet si percutant c'est qu'ils sont parfaitement coordonnés aux mouvements des personnages, au choc que procure l'entrée de Fanny, et parce que la scène subit une sorte de compression irréelle, onirique : elle s'efface quelques secondes après que le Major s'est réveillé. De même qu'au moment où la main de Kane pénètre dans l'image pour gifler Suzan, nous assistons à une épiphanie.

C'est un fondu enchaîné (et non un fondu au noir comme dans la version présente) qui devait nous faire passer au plan du Major assis devant une cheminée invisible et dont la lueur des flammes joue sur son visage. Il fixe la caméra qui le filme en légère contre-plongée, comme Mr Clay, perdu dans ses pensées sur le pouvoir et la destinée, le fera bien des années plus tard dans *Une Histoire Immortelle*.

« Le Major Amberson était alors plongé dans les pensées les plus profondes qu'il n'eût jamais eues », dit la voix-off de Welles. Richard Bennet, qu'il avait arraché à sa retraite pour lui faire tenir le rôle du Major et qui mourut deux ans après que le film fut tourné, avait du mal à retenir son texte et sa vue était si mauvaise qu'il ne pouvait le lire que si on l'écrivait sur un tableau durant le tournage. *Collier's* rapporta que Welles avait enregistré le monologue du Major (« It must be in — the sun — ») sur un disque que Richard Bennett emporta chez lui pour l'apprendre.

« Je le fais jouer plusieurs fois, expliquait un jour celui-ci à

Joseph Cotten, j'écris des bribes du texte et je les étudie. Et je répète et je répète, mot par mot. »

« Et de cette manière vous mémorisez quelque chose ? »

« Pas le moindre mot ! » s'écria Bennett fièrement.

Lorsqu'on tourna la scène, Welles décida finalement de se ternir tout près de l'acteur et de lui souffler tout son texte. Au mixage, on effaça la voix de Welles. Ceci explique en partie les longues pauses entre les phrases, dont le caractère émouvant est accentué par la musique si noire, le lent travelling avant et l'éclairage sculptural sur le visage buriné du Major. Le fondu de la fin de la scène tremble, comme celui du début l'avait fait (l'effet est d'ailleurs répété plusieurs fois durant le film) : l'éclairage sur le visage (où se reflètent les flammes) étant le plus marqué de tout le plan, le fondu − enchaîné ou pas − donne au visage un aspect désincarné.

De là nous passons à la scène hallucinante dans laquelle Jack, dans la gare de chemin de fer, fait ses adieux à George. Après quoi la structure du film a été entièrement modifiée.

Voici la séquence finale du film telle qu'elle était prévue initialement :

1. *Le Major devant la cheminée.*

2. *A la gare de chemin de fer. Jack fait ses adieux à George.*

3. *George déambule à travers la ville ; fondus sur des immeubles ; une automobile passe : les passagers se moquent de lui ; la caméra le suit à l'intérieur dans la résidence, puis parcourt celle-ci ; il s'agenouille près du lit de sa mère et implore pardon ; vues extérieures de la résidence.*

4. *George et Fanny dans la cuisine puis dans la salle de bal de la résidence.*

5. *George refuse le poste que lui propose l'avocat Bronson et demande qu'on l'aide à lui trouver du travail dans une usine de dynamite.*

6. *Eugène et Lucy marchent dans leur jardin.*

7. *George est blessé lors d'un accident de la circulation.*

8. *L'accident paraît dans les journaux.*

9. *Eugène en lit le compte-rendu ; part pour l'hôpital.*

10. *Plus tard, Eugène rend visite à Fanny dans une pension de famille. Ils s'entretiennent du prochain mariage de Lucy et de George tandis que le phonographe joue une chanson mi-comique mi-sérieuse parlant de la ville. Eugène remonte dans son automobile, se retourne une dernière fois vers Fanny qui se détache sur l'horizon métamorphosé de la ville. FIN.*

11. *Générique.*

Et voici maintenant la fin du film dans la version remaniée :

1. *Le Major devant la cheminée.*

2. *Jack et George à la gare.*

3. *Eugène et Lucy marchent dans leur jardin.*

4. *George et Fanny dans la cuisine puis dans la salle de bal de la résidence.*

5. *George dans le bureau de Bronson.*

6. *George déambule à travers la ville ; fondus sur des immeubles ; il s'agenouille près du lit de sa mère et implore pardon.*

7. *George est blessé lors d'un accident de la circulation.*

8. *L'accident paraît dans les journaux.*

9. *Eugène dans son bureau avec Lucy ; ils partent pour l'hôpital.*

10. *Eugène et Fanny dans le couloir de l'hôpital.*

11. *Générique.*

Il faut tout d'abord souligner la fluidité de la séquence finale d'origine. Une scène statique (les adieux de Jack à la gare) précède un montage (George rentre à pied chez lui), suivi lui-même par un scène violente (la crise de Fanny) et ainsi de suite. Les scènes se succèdent maintenant sur un rythme saccadé, sans grand respect pour la continuité chronologique. Le plan tout a fait charmant où l'on voit Eugène et Lucy marcher dans leur jardin est celui qui souffre le plus du changement. Placé comme il l'est maintenant, troisième d'une série de scènes plutôt statiques, il semble d'une lenteur oppressante, laborieux et maniéré. Tel que Welles l'avait conçu, comme un répit après les scènes dynamiques du repentir de George et de la crise de Fanny, il aurait été particulièrement efficace.

De plus, George semble travailler à l'usine de dynamite pendant une trop courte durée avant d'être victime de l'accident, dont la portée est de ce fait réduite. Welles avait intercalé la scène du jardin entre celle du bureau de Bronson et celle de l'accident. La conversation des Morgan aurait ainsi fait comprende au spectateur que George travaillait à l'usine depuis un certain temps, ce qui corrobore d'ailleurs les indications du script, selon lequel George occupe son poste depuis un an. L'accident, dit le roman, était « si banal et tellement inconséquent qu'il n'était qu'une comédie ». Survenant immédiatement après le « châtiment » de George, le plan si émouvant où on le voit s'agenouiller dans la maison déserte, l'accident semble au conraire être *la conséquence* de son « châtiment » et devient donc absurde. Le public n'a cependant pas le temps de méditer sur cette incongruité car les compte-rendus de l'accident dans les journaux sont immédiatement suivis par les plans de la fin, dont on doit l'atmosphère *camp,* selon Bogdanovich, à l'assistant de Welles, Freddie Fleck. Bizarrement, seul parmi les critiques à la sortie du film, Manny Farber semble avoir été dérangé dans *The Nation* par ces trois derniers plans, et il attribue à « une erreur de montage » ce « dénouement à l'eau de rose ».

Le renversement thématique, sans parler de la dégradation stylistique, est catastrophique dans les deux dernières scènes. Après la scène où Anne Baxter, dans le bureau de Morgan, entraîne hors-champ un Joseph Cotten à l'air hypnotisé, on nous demande de croire, comme Eugène en informe Fanny devant la porte de la chambre de George à l'hôpital, que « tout va aller pour le mieux ». Grâce à une mise en scène des plus factices, il semblerait par ailleurs que Fanny soit devenue le « véritable amour » d'Eugène.

Quelque peu délayé, le dénouement, dans le roman, montre Eugène qui va consulter un médium et qui croit un instant parvenir à entrer en contact avec Isabel − celle-ci lui demande d'« être généreux ». Il va donc voir George, qui implore son pardon. Le roman s'achève ainsi sur une note sentimentale : par l'intermédiaire d'Eugène, Isabel « avait trouvé un nouvel asile pour son garçon. Ses yeux, dorénavant, n'auraient plus cet air désenchanté ». La scène tournée par Fleck se termine sur ces paroles qu'Eugène adresse à Fanny : (à travers lui, Isabel) « a trouvé un nouvel asile pour son fils, et j'ai enfin été fidèle à mon véritable amour ». Les derniers mots sont accompagnés par un mouvement de la caméra, qui pivote vers le visage de Fanny, puis recule pour inclure dans le champ celui d'Eugène. L'implication, renforcée par une soudaine explosion de musique et un léger soupir de Fanny, est qu'Eugène l'a toujours aimée.

En dépit de l'agencement chaotique de la séquence finale telle qu'on la connaît aujourd'hui, prises isolément, les scènes qui la composent gardent toute leur force : particulièrement la grande scène d'Agnes Moorehead dans la cuisine et dans le hall de la résidence désertée. Welles a tant fait répéter l'actrice qu'elle était elle-même la proie de l'hystérie lorsque la scène fut enfin tournée. George la traîne à travers le hall, la secoue pour lui faire retrouver ses esprits : un travelling arrière les montre traversant rapidement trois pièces avant de parvenir à la salle à manger ; la caméra qui les devance, les distance de plus en plus jusqu'à s'éloigner d'eux entièrement afin de nous détacher d'un spectacle dont l'intensité est rarement égalée dans le film.

Au cours des fondus enchaînés où l'on voit George traverser à pied « les rues étranges d'une ville inconnue », la caméra est identifiée à George (à l'origine il devait apparaître, filmé de dos, dans le premier plan de la série ; la caméra se déplace plus vite que lui, dans un travelling qui le serre de si près que son corps devient une masse qui noircit l'écran et prépare ainsi au fondu) : cet effet objectif renforce l'étrangeté des bâtiments sales, des fils télégraphiques et des maisons lépreuses (les « New Hope Appartements », la Cité des Nouvelles Espérances). Le montage devait, à l'origine, être trois fois plus long qu'il ne l'est maintenant : ont été coupés les plans montrant une teinturerie, un magasin de pompes funèbres et un pavillon (tous décors de l'enfance de George, précise la voix du narrateur) de même qu'une courte scène où le croise une automobile conduite par des jeunes gens qui se moquent de lui, le long de ce qui était le « boulevard Amberson » et qui est devenu la « dixième rue ». La caméra, adoptant l'angle de vue des jeunes gens dans la voiture, montre George murmurer « canailles ! ». La caméra s'éloigne de lui, lentement, puis plus rapidement, « comme si elle était elle-même la voiture », et elle l'abandonne là ; il n'est plus qu'une infime silhouette dans l'image – nouvelle injure que lui fait l'Automobile.

Un fondu enchaîné assure la transition vers un plan où l'on voit George pénétrer dans la résidence, qu'un autre fondu enchaîné transforme en un plan où la caméra erre lentement à travers la maison dégarnie. Elle retourne dans le grand salon et la cuisine, remonte l'escalier, hésite un instant, s'avance lentement en plongée, vers les lourdes portes de la bibliothèque (derrière lesquelles Isabel a appris l'expulsion d'Eugène) et, après une pause, fait un travelling arrière, puis continue, encore plus lentement, à monter vers le hall du deuxième étage, jusqu'à la porte fermée de la chambre d'Isabel. La porte s'ouvre et nous voyons que rien n'a été changé. Ce plan extraordinaire devait alors disparaître dans un fondu. Toute cette partie du montage est accompagnée par les paroles suivantes du narrateur :

La grande ville avait roulé sur son cœur et l'avait enterré sous elle comme elle avait roulé sur celui du Major et des autres Amberson et les avaient tous enterrés jusqu'au dernier vestige.

Cette nuit serait la dernière qu'ils passeraient, Fanny et lui, dans la maison que le Major avait omis de léguer à Isabel. Demain, ils devraient « déménager ».

Demain tout serait fini : l'espace qui était encore ce soir la chambre d'Isabel serait méconnaissable, scindé par de nouveaux murs, de nouveaux parquets, de nouveaux plafonds. Et si l'espace est hanté comme l'est la mémoire, il se peut qu'une ménagère, surmenée et impressionnable, voie après avoir éteint la lumière dans sa « kitchenette », un jeune homme, agenouillé dans le noir, qui étreint les couvertures d'un lit ombreux, bras en avant passant à travers le mur. Et peut-être croira-t-elle entendre ses sanglots à peine perceptibles mais jamais asséchés.

Un fondu devait alors amener le plan qui, démarrant sur un flou sombre – la nuque de George – le révèle, au fur et à mesure que la caméra recule, agenouillé dans la chambre de sa mère. A la suite des paroles du narrateur, qui ont été maintenues (« ... George Amberson Minafer avait reçu son châtiment. Il l'avait reçu par trois fois et chacune avait été terrible... »), la scène devait se fondre lentement dans des plans de la vieille résidence, fenêtres brisées, porte d'entrée entrouverte, des graffiti à la « salacité idiote » défigurant les piliers et les pierres de la véranda.

Bien sûr, la mutilation de *La Splendeur des Amberson* est impardonnable, mais la première partie est relativement intacte : de ce fait, et aussi grâce à la force que dégagent, individuellement, les scènes de la deuxième partie, le film survivra. Comme l'a dit Truffaut : « Si Flaubert relisait *Don Quichotte* tous les ans, pourquoi ne pourrions-nous pas revoir *La Splendeur des Amberson* chaque fois que cela nous serait possible ? »

La version proposée au public est plus mouvementée, plus mélodramatique que le film ne l'était au début ; le studio a naturellement retenu les scènes qui faisaient « avancer l'action », au détriment des plans plus calmes, plus ironiques aussi, que Welles lui-même appelait « tout le cœur du film en fait » (les scènes de la véranda, les deux-tiers manquants du montage de la ville, le parcours de la caméra dans la maison vide, etc.). La perte des scènes du chantier et d'autres plans ayant trait au développement de la ville, fait porter l'accent sur la famille plus qu'il n'était prévu, et l'ironie de la progressive déchéance des Amberson dans la hiérarchie citadine y a perdu de son mordant. Si le rythme parfait du film d'origine est devenu haché et quelque peu éprouvant, il reste dans la version finale suffisamment de la conception de Welles pour qu'on puisse imager la grande valeur du film avant que la RKO ne prît peur. Robert Wise pense, encore aujourd'hui, que le film n'a guère souffert : « Le film avait quelques sérieux défauts, et je crois que nous avons tous, sincèrement, fait de notre mieux pour conserver le meilleur de l'idée de Welles et vaincre la difficulté tout de même. *La Splendeur des Amberson* étant devenu une sorte de classique, je crois qu'il apparaît clairement aujourd'hui que nous n'avons pas « mutilé » le film d'Orson. »

D'après Wise, c'est la guerre qui a empêché que le public s'intéressât au sujet du film. Quelle guerre ? Le *New York Times* exprimait l'opinion de son public quand il déclarait : « Dans un monde déchiré par une situation dramatique qui attend encore un traitement cinématographique adéquat, il semble que M. Welles attende trop du spectateur quand il lui demande de s'émouvoir du déclin de l'aristocratie de second ordre dont les Amberson étaient les représentants vers la fin des années 1870. »

On dit que le métrage disparu se trouve dans la filmothèque des Studios Paramount (qui ont racheté les films de la RKO en 1958) mais un chercheur devrait fouiller pour le retrouver parmi des tonnes de pellicules – littéralement – car il n'existe aucun inventaire de la collection. La perte de Rosebud n'était pas plus triste pour Kane. Welles a bien dit un jour qu'il voulait filmer deux bobines pour rendre sa cohérence à la fin du film, en utilisant les acteurs encore vivants avec leur physique d'aujourd'hui, mais il reconnaît qu'il se désespère de voir le nombre de ses projets inachevés.

6. A la recherche d'un nouveau style :
Voyage au pays de la peur

En plus des films que Welles réalisait sans pour autant apparaître dedans, comme *la Splendeur des Amberson,* George Schaefer lui demanda de superviser la réalisation de films qu'il ne réaliserait pas lui-même mais dans lesquels il jouerait avec sa troupe du Mercury. Welles écrivit le premier de ces projets, *The Way to Santiago,* en 1941, à la suite de *Citizen Kane* ; il travailla en collaboration avec John Houseman et d'après le roman d'Arthur Calder Marshall. Norman Foster devait se charger de la mise en scène et Gregg Toland de la photographie. Dans ce récit d'aventures anti-fasciste situé à Mexico, Welles devait incarner un agent allié et Dolorès del Rio, sa fiancée à l'époque, une espionne – c'était presque une préfiguration du film de Hitchcock,

Notorious, mais ici c'est le héros qui était drogué par les Nazis et sauvé par la femme, et non l'inverse. Des complications politiques empêchèrent le film de se faire.

En même temps que Welles tournait les *Amberson,* sa troupe commença à travailler sur *Voyage au pays de la peur,* un film policier situé pendant la guerre, au Proche-Orient, et mis en scène par Foster, d'après un scénario de Welles et Joseph Cotten tiré d'un roman d'Eric Ambler. Comme c'était le cas avec *The Way to Santiago,* Welles s'investit beaucoup dans le film. C'est la première fois qu'il campe un bandit – un chef de police turc du nom de Colonel Haki, qui ressemble étrangement à Staline. Mais cette expérience ressemble plutôt à une détente pour Welles qui oublie ainsi quelque temps les exigences de ses projets plus personnels. Les films de ce genre, plus conventionnels, permettaient aussi, probablement, de financer les films qu'il réalisait lui-même.

Un flou persiste sur la part qui lui revient dans la mise en scène de *Voyage au Pays de la Peur.* Voici ce qu'en dit Everett Sloane : « Nous avons d'abord tourné toutes les scènes d'Orson, qu'il dirigeait lui-même, puis Norman fit le reste. Je pense que le film

Stars Films

Voyage au pays de la peur, *Joseph Cotten,* un des acteurs favoris d'*Orson Welles.*

85

porte la marque de Welles et de l'idée qu'il avait du film. » Ce que Welles confirme en le précisant : « J'étais sur le plateau pour les cinq premières séquences et je choisissais les angles ; ensuite, je décidais souvent où il fallait placer la caméra, je choisissais les cadrages et faisais les essais d'éclairage... C'est moi qui ai conçu le film mais on ne peut pas vraiment dire que j'en sois le réalisateur. » La trame ressemble à celle de plusieurs films postérieurs de Welles. Cotten joue un Américain ingénieur naïf que les Nazis enlèvent pour l'empêcher d'armer des bateaux turcs ; à l'instar de O'Hara dans *la Dame de Shanghaï,* qui représente pour Welles la figure même de l'innocent, et de Joseph K. dans *le Procès,* il tombe de Charybde en Scylla tout en essayant de comprendre pourquoi il est poursuivi. La position de pouvoir que Welles occupe est similaire à celle de l'avocat dans *le Procès,* et Cotten fait penser à K. par son allure impeccable d'homme d'affaires et ses plaisanteries empruntées sur la gravité de la situation. L'incompréhension de la femme de Cotten (Ruth Warrick) prend une tournure comique et la vedette revient à Jack Moss, réplique presque parfaite d'un des bourreaux du *Procès,* dans son rôle de bandit onctueux au visage poupin et toujours silencieux. Si le film dans son ensemble n'est cohérent ni en tant que divertissement ni dans son traitement thématique, il sert au moins de brouillon très imparfait pour quelques-uns des films ultérieurs de Welles.

L'une de ses vertus est qu'à la différence du *Criminel,* qui fut un échec lamentable, le film ne se prend pas au sérieux. Quand le bandit s'assied à table en face de Cotten et commence à ingurgiter son dîner d'un air menaçant, Cotten jette furtivement un peu de sel par-dessus son épaule. Le colonel Haki, qu'interprète Welles, est un personnage comique de bout en bout et Agnes Moorehead et Sloane font des prestations amusantes. Malheureusement, l'humour abracadabrant du scénario est souvent plus pesant qu'efficace et l'interprétation de Cotten, qui se veut de plus en plus blasé, finit par gêner. Comme dans *le Rideau déchiré* de Hitchcock, dont la trame n'est pas sans rapport avec celle-ci, la fadeur du couple démobilise l'attention du spectateur et tout l'intérêt que devrait faire naître leur relation est annulée par la puissance des scènes spectaculaires – un meurtre quand la salle est plongée dans l'obscurité au cours d'un spectacle de magie (une bonne idée plutôt mal utilisée) et un affrontement au pistolet sur le rebord d'une fenêtre durant un orage effroyable. C'est son manque d'homogénéité qui perd le film en fin de compte. Les acteurs sont bons mais le dialogue piétine ; l'éclairage varie trop brutalement de la lumière crue au clair-obscur ; l'histoire se disperse trop. Avec le recul, on s'aperçoit que Welles a commis envers ce film la faute que d'autres ont commises avec *La Splendeur des Amberson* : il a essayé d'apporter quelques « améliorations » par-ci par-là et, ce faisant, a détruit le peu d'unité que le film aurait pu avoir. Le danger des interventions extérieures frappera Welles de la plus cruelle manière, mais trop tard pour sauver *Voyage au Pays de la Peur*.

It's All True - Tout est vrai

Mi-documentaire mi-fiction, ce film que Welles tourna en Amérique du Sud en 1942, reste un des grands mystères des annales du cinéma. La RKO congédia Welles avant la fin du tournage ; l'essentiel de la pellicule a été détruit (plusieurs bobines ayant été littéralement jetées dans le Pacifique) et le reste dort dans les caves de la Paramount. Welles n'a pu récupérer la pellicule restante ; en 1969 il n'a pas réussi à obtenir l'autorisation de l'utiliser pour en faire une émission de télévision.

Les articles les plus récents décrivant le film ne font que jeter le doute dans nos esprits quant à son contenu. De toute évidence, la seule personne capable de rendre compte pleinement du film est Welles lui-même et puisque je n'ai pas vu *It's All True,* je renvoie le lecteur au recueil d'interviews avec le réalisateur qu'a produit Peter Bogdanovich. Le film devait comporter (au moins) trois parties : *The Story of Bonito, the Bull* (un jeune Mexicain descend dans l'arène avec son taureau bien-aimé) co-réalisé par Norman Foster ; *Jangadeiros,* qui recrée le périple de 2.500 kilomètres en radeau, entrepris par quatre pêcheurs brésiliens (dont l'un mourut durant le tournage) pour protester contre leurs mauvaises conditions de vie ; et *The Samba Story,* qui retrace l'histoire de cette danse populaire depuis ses origines vaudou jusqu'à son plein épanouissement dans le Carnaval de Rio.

Jane Eyre

D'une richesse inattendue, *Jane Eyre* est important parce qu'il fit de Welles une star (le film lui permit de vivre dorénavant de son métier d'acteur et de s'imposer malgré l'incapacité de certains metteurs en scène avec qui il travailla par la suite) mais aussi parce que Welles semble en avoir beaucoup influencé la mise en scène, et avec des résultats plus satisfaisants que dans *Voyage au Pays de la Peur.* La mise en scène était confiée à Robert Stevenson – maintenant réalisateur chez Disney et à qui l'on doit quelques films réussis, dont *Mary Poppins* – mais, comme le disait un journaliste à l'époque, Welles « apprenait au metteur en scène de *Jane Eyre* comment mettre en scène ». Le scénario, excellent, était tiré de Charlotte Brontë, et Aldous Huxley, Houseman et Stevenson y avaient participé ; la distribution des deuxièmes rôles (Joan Fontaine, Henry Daniell et Agnes Moorehead) et le rôle d'Edward Rochester se prêtaient bien au parti pris théâtral. On ne sent jamais, comme dans *Voyage au Pays de la Peur,* la réticence de Welles à travailler sur un matériau médiocre et si l'on peut lui reprocher un certain manque d'homogénéité, *Jane Eyre* offre des moments très forts et est dans l'ensemble un film émouvant. Si Welles en avait assuré toute la mise en scène, le film y eût gagné en cohésion, mais le sujet permettant aux aspects purement égocentriques de la personnalité de Welles de s'exprimer trop facilement, il eût fallu au metteur en scène beaucoup de travail, une grande stylisation et une grande retenue pour faire du film un succès complet.

Certains critiques ont reproché à Welles son interprétation du personnage de Rochester. Walter Kerr pensait qu'Eddy Anderson aurait mieux convenu pour le rôle, et James Agee dénonçait les exagérations du jeu de Welles : « la simplification genre opéra de province des mouvements, des costumes et de la diction ; et, chaque fois que cela est possible, les yeux étincelants dans une pénombre à la Rembrandt. On peut apprécier sa prestation si on la considère comme une parodie pince-sans-rire de l'interprétation traditionnelle des films historiques ; ce qui était sans doute l'intention de Welles. J'aurais probablement été moins déçu si je n'avais attendu davantage de la part de l'acteur qui interprétait Rochester. » Le film aurait de toute évidence gagné à montrer Olivier dans le rôle principal et la mise en scène aurait été plus contrôlée si Welles en avait été chargé mais je crois que la critique de Agee serait plus appropriée dans le cas d'un film, moins expressionniste et plus littéraire, comme *Les Hauts de Hurlevent* de William Wyler. Ici, ce sont la photographie de Gregg Toland et le jeu de Laurence Olivier qui sauvent le film, tandis qu'on sombre dans le ridicule lorsque Heathcliff transporte Cathy mourante sur la lande afin qu'elle la voie une dernière fois, une scène que Welles aurait probablement réussie avec brio. D'Agee note par ailleurs l'absence de « résonance symbolique » de *Jane Eyre.* C'est le reproche qui revient sans cesse à propos des rôles de Welles –

Jane Eyre, *Orson Welles* dans le rôle d'*Edward Rochester.*

Macbeth, Othello, Arkdin, l'avocat ou Falstaff – qui s'apparentent le plus aux héros d'opéra ; sous la plume des critiques qui n'aiment pas les interprétations franchement théâtrales au cinéma, on lit souvent que Welles devrait soit accentuer l'aspect parodique de son interprétation, soit travailler plus en finesse. Ces critiques dénoncent son jeu comme s'il était indépendant de la mise en scène. On pourrait aussi bien reprocher aux personnages de Shakespeare de parler en vers blancs.

Les objections des critiques, si elles ne sont pas valides dans la règle générale, le sont en partie ici en raison du caractère hybride de la mise en scène. La stylisation type opéra vers laquelle on tend dans le film n'est pas cohérente. La délicieuse Joan Fontaine offre un contrepoint angélique au jeu de Welles, par exemple, dans la scène de leur rencontre sur la lande, quand le cheval de Welles se cabre et que le cavalier tombe dans la boue. De même dans la scène où Welles interroge Joan Fontaine sur sa vie passée et où la jeune femme force son respect en refusant d'être malmenée. Mais le rythme de ces scènes est mauvais ; Welles qui, en général, évite les gros plans, saisit le moindre prétexte pour filmer en gros plan le visage de Jane, et l'intimité de ces moments est brisée par le grotesque des apparitions du visage de Welles en gros plan lui aussi : son maniérisme dans le style « opéra de province » sonne faux dans le contexte d'un échange naturaliste. Les meilleures scènes sont par conséquent celles où l'exagération est la plus poussée et où l'humour est le plus noir : par exemple la scène, au début du film, où la petite Jane est conduite pour la première fois devant son directeur d'école (Daniell au sommet de sa componction calviniste) tandis qu'Agnes Moorehead cajole d'un air glacial un garçonnet monstrueusement gras qui mange des chocolats – cette scène rappelle d'ailleurs la brillance gothique de la séquence d'ouverture du film de Sternberg *L'Impératrice rouge* (un film que Welles, de toute évidence, admire beaucoup, puisqu'il le cite dans des scènes de *Citizen Kane* et d'*Une Histoire immortelle*) ; et il nous y est montré de façon éclatante ce que Welles aurait pu faire du film entier.

La marque de Welles est également visible dans de nombreuses autres scènes : au pensionnat, le réveil de Jane suivi d'une toilette à la manière militaire filmée de façon inquiétante ; la scène où le directeur, devant toutes les élèves, accuse Jane, juchée sur un escabeau, de n'être pas croyante ; celle où l'on voit Jane en compagnie d'une fillette étonnamment belle (Elizabeth Taylor à ses débuts) faisant pénitence sous la pluie ; Jane s'endormant tendrement aux côtés de la fillette malade et se réveillant pour s'apercevoir que la main de sa compagne est devenue toute froide ; Rochester disant : « Monsieur le curé, fermez votre livre – il n'y aura pas de mariage aujourd'hui » et dévoilant à Jane l'existence de sa femme qui est folle ; ou enfin les dernières scènes, où on le voit, aveugle, revenir miraculeusement à la vie.

Il faut relever aussi la remarquable partition musicale de Bernard Herrmann qui parvient presque à unifier le décousu de l'image et les faiblesses de l'action. Quand Rochester prend Jane dans ses bras à la fin du film, on atteint à la plénitude d'une aria à laquelle ne manque pas même le fracas des cymbales (Hermann a d'ailleurs dit que c'était sa partition pour *Jane Eyre* qui lui avait fait décider d'écrire son opéra d'après *les Hauts de Hurlevent*). « Welles, selon les termes de Truffaut, passe souvent pour un poète ; mais pour moi c'est un musicien. De tous ses films, Falstaff est celui qui se rapproche le plus de l'opéra. Sur la table de montage la prose de Welles se transforme en musique. Il filme en exhibitionniste mais il monte en censeur. » *Jane Eyre,* en fin de compte, manque avant tout d'unité musicale, parce qu'on n'y sent pas suffisamment le « rythme intérieur » de son auteur.

André Bazin l'a bien vu, *Le Criminel* est une parodie de film de Welles. On aurait pu pourtant faire un bon film à partir de son sujet : un ancien nazi devenu professeur dans une petite ville du Connecticut, pourchassé par un homme chargé d'enquêter sur les criminels de guerre. Mais le scénario, surtout en ce qui concerne l'épouse de l'ancien nazi, sombre dans l'invraisemblable et le jeu de Welles dans le ridicule le plus complet. Un critique a dit qu'il ne fallait pas considérer *Le Criminel* comme un film de Welles, tant celui-ci a peu participé à son écriture, mais ce n'est qu'à moitié vrai. Si seulement on avait interverti les rôles de Welles et d'Edward G. Robinson (ce dernier joue l'enquêteur), on aurait établi des rapports de force que Welles est incapable de faire naître dans le film tel qu'il a été réalisé. Le film aurait été plus intéressant si Edward G. Robinson, qui sait être à la fois amène et sinistre, avait pu interpréter le nazi et décrire le passage de la tranquillité au désespoir, au fur et à mesure que l'enquêteur le pousse à se révéler davantage (Welles aurait dû jouer la carte de l'ambiguïté ; comme l'aurait sans doute fait d'ailleurs Agnes Moorehead prévue à l'origine pour le rôle !). Il est vrai que Welles souffrait du handicap de devoir travailler à partir d'un scénario médiocre, mais il n'en demeure pas moins que sa mise en scène, hormis la poursuite baroque de la scène d'ouverture et quelques plans-séquences pleins de virtuosité, n'est guère satisfaisante. La multiplication injustifiée de gros plans au fur et à mesure que le film approche de son acmé montre bien que Welles perdait tout le contrôle qu'il avait pu avoir du récit.

« *Le Criminel* est mon plus mauvais film, concède-t-il. Il n'y a rien de moi là-dedans. Je l'ai fait pour prouver que je pouvais tourner un film comme tout le monde. Il ne m'intéresse en rien. Mais je ne l'ai pourtant pas tourné par cynisme. J'ai fait de mon mieux... Les deux bobines filmées en Amérique du Sud étaient ce qu'il y avait de mieux dans le film. (Le producteur Sam) Spiegel les a complètement supprimées... Les choses que je préfère dans le film, ce sont les commentaires sur la ville, l'homme du drugstore, des détails de ce genre... »

L'histoire est construite sur le modèle habituel des films wellesiens : un secret coupable, l'enquêteur justicier, les scènes où on lève le masque, le châtiment des « innocents », et le grand final où le nazi tombe du clocher après s'être empalé sur l'épée d'un ange de l'horloge. Tout aussi prévisible et insignifiant, malheureu-

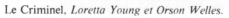

Le Criminel, *Loretta Young et Orson Welles.*

sement, est le conflit central. Toute la tension que pourrait faire naître en la femme la découverte des activités passées de son mari, est annulée malgré la très bonne interprétation de Loretta Young, par le manque de cohérence de la réalisation, les mimiques et les sinistres grognements d'un Welles dément. Le présumé « secret » du héros apparaît comme une supercherie : il est en effet impossible de croire qu'il n'ait été découvert par personne, pas même par sa propre épouse. Quant à l'obsession du personnage pour le clocher, qu'il répare à toute heure du jour et de la nuit, c'est une manifestation de fétichisme à laquelle manque la grâce bunuélienne.

Le procédé de la révélation est également absurde : un homme supposé être la circonspection même se laisse aller tout à coup à un discours sur les Juifs et « la fière épée de Siegfried ». Après quoi, son comportement se fait de plus en plus étrange. Le film démontre on ne peut mieux l'incapacité de Welles à jouer des personnages en demi-teinte ; c'est un peu comme demander à Mae West de jouer une nonne. Au lieu d'une confrontation retorse entre deux personnages doués d'une forte personnalité — un personnage à la Desdémone étant tiraillé entre les deux — on nous offre seulement le spectacle d'un certain nombre de personnages plaisants (mais quelque peu bavards) eux-mêmes condamnés à contempler les cabrioles et les tours d'un fou.

Autres films et divers

Welles a pu continuer à s'exercer à la réalisation durant des périodes de pénurie, en participant à la réalisation de nombreux films dans lesquels il n'apparaît pas lui-même comme acteur. Il le fait d'ailleurs sans prétention ; les jeunes metteurs en scène qui ont fait appel à lui le trouvent plutôt docile et prêt à obéir aux ordres donnés. Peut-être cela est-il dû à ce qu'il meurt d'impatience de retravailler sur un de ses projets — il dit ne pas vraiment aimer jouer, sauf, à l'occasion, un rôle extraordinaire tel que Harry Lime ou Falstaff, et affirme le faire pour le simple plaisir de participer au tournage d'un film et parce qu'il a besoin d'argent. « Je suis un vagabond, je vais où la cueillette m'appelle » a-t-il déclaré une fois. De temps en temps des réalisateurs, parce qu'ils apprécient son talent (ou par simple obligeance) lui confient le choix de décors, la réécriture d'un scénario, quelques broutilles. On imagine mal Welles s'abstenant de faire des suggestions, et le réalisateur refusant de les entendre. Même ses apparitions dans les émissions de variété à la télévision réservent parfois des surprises. Il parvint à voler la vedette à Mike Todd à la fin d'une émission consacrée à ce dernier en remerciant le public de sa patience avant de froncer terriblement les sourcils et de quitter le plateau, silhouette massive enveloppée dans une cape d'opéra, et dont la caméra suivait la démarche pesante. Il a même volé la vedette à Dieu – dans *Le Roi des Rois* de Nicholas Ray, en prononçant systématiquement le « t » de « apostles » (apôtres), généralement omis en anglais.

S'il n'y a pas grand chose à dire sur des bêtises telles que *Marco le Magnifique, Paris brûle-t-il ?* ou *Casino Royal,* on sent la marque de Welles dans *Follow the Boys* (1944) d'Eddie Sutherland, une revue du genre théâtre aux armées, qui ressuscite avec panache un « Mercury Wonder Show » : Welles y fait apparaître un lapin, léviter son cigare et danser sur la scène les jambes de Marlène Dietrich après avoir coupé en deux la fameuse comédienne ; de même dans *Black Magic* (1947) de Gregory Ratoff, l'histoire du mage Cagliostro dont les tours de magie lugubres relèvent quelque peu l'incohérence du tout ; mais c'est surtout dans *Le Troisième Homme* (1949) de Carol Reed, où Welles interprète Harry Lime, profiteur du marché noir, un petit rôle qui n'en est pas moins inoubliable, que l'on sent la main du maître : Welles a écrit pour son rôle le monologue du « coucou » et a influencé la poursuite dans les égouts, qui préfigure les monstrueuses architectures du *Procès* ; le maître est très présent aussi dans *Return to Glennascaul* (1951), de Hilton Edward, une charmante histoire de fantôme : on voit au début Welles répéter *Othello,* puis on le suit dans un étrange périple à travers la campagne irlandaise ; Welles voulait réaliser lui-même le *Moby Dick* (1956) qui fut confié à John Huston mais il y fait tout de même une inénarrable prestation avec le sermon du Père Mapple sur la chasse à la baleine ; *Compulsion* (1959) de Richard Fleischer, un autre sujet idéal pour Welles, ne s'anime vraiment que lorsque celui-ci, dans le rôle de Clarence Darrow, lance un appel passionné à la clémence envers les deux jeunes assassins qui ont tué de sang-froid – il s'agit d'une composition étrange, Welles faisant de l'avocat un homme obsédé par l'idée de meurtre ; citons enfin, dans *Un Homme pour chaque Saison* (1966), la présence du Cardinal Wolsey tel que Welles l'interprète en le faisant brièvement s'opposer au pharisaïsme du héros, et des éclairs qui illuminent diaboliquement l'attirail gothique du film.

Bien que le corpus wellesien soit restreint (treize films achevés en trente ans), Welles est rarement resté inactif. Il continua de travailler pour la radio jusqu'en 1953, au théâtre jusqu'en 1960, et

Moby Dick. *Orson Welles* dirigé par *John Huston.*

a trouvé dans la télévision un bon champ d'expérimentation. Il a réalisé pour la BBC des émissions littéraires *Orson Welles Sketchbook* en 1950 ; aux Etats-Unis un documentaire sur l'Actors' Studio, *The Method* ; une adaptation d'une nouvelle de John Collier qui lui a valu le prix Peabody, *The Fountain of Youth* ; des téléfilms pour la télévision italienne ; et, récemment, une émission pour la CBS, *Around the World with Orson Welles,* comportant une version abrégée du *Marchand de Venise* dont il était le Shylock.

L'un des produits les plus heureux de son travail à la télévision est une mystérieuse adaptation de Don Quichotte, commencée en 1955 mais qui par la suite devint un film – inachevé – Welles ne sut quelle fin lui donner (comment le monde moderne, qui fournit le décor du film, peut-il tolérer l'existence de Don Quichotte, se demande-t-il, mais aussi : comment Don Quichotte peut-il jamais cesser d'exister ?). L'autre raison pour laquelle Welles ne l'a pas terminé est qu'il a pensé que le film sera « exécré » et qu'il avait besoin d'un « gros succès » avant de le faire distribuer.

Le critique mexicain Humberto Arenal disait en 1957 que Welles était alors certain du dénouement qu'il voulait lui donner : « L'histoire commence dans un hôtel de Mexico où Patty McCormak joue tandis que Welles lit le roman de Cervantès ; elle lui demande ce qu'il lit et il essaie de le lui expliquer. Suit donc un « flashback » de trois épisodes de vingt-sept minutes chacun reconstituant les passages les plus importants de la satire transportée au XXe siècle : on voit ainsi Don Quichotte assaillir un écran de cinéma quand il voit le méchant attaquer l'héroïne ; défendre un taureau contre le picador au cours d'une corrida ; ou encore partir sur Rossinante à l'assaut des moulins à vent – une pelle mécanique en l'occurrence.

« Le dernier épisode se termine sur une explosion nucléaire qui anéantit notre civilisation... mais de ses ruines émergent le hautain chevalier et son obèse écuyer Sancho Pança, symboles de l'indestructibilité des valeurs nobles... Outre Patty McCormak, dans le rôle de Dulcinée et Akim Tamiroff dans celui de Sancho Pança, Welles choisit pour incarner Don Quichotte l'acteur espagnol (naturalisé mexicain) Francisco Reiguera, qui tourne en Italie, en France et aux Etats-Unis depuis 1913. »

On rapporte que Reiguera commença à inonder Welles de télégrammes après que le tournage eut été interrompu et eut traîné pendant cinq ans, pour le supplier d'achever *Don Quichotte* afin qu'il puisse mourir en paix. Welles obtempéra, tournant suffisamment de pellicule pour qu'on n'ait plus besoin du vieux monsieur.

7. La Dame de Shanghai

Après plusieurs années de tâtonnements, Welles retrouva sa foulée avec *La Dame de Shanghai,* qui demeure à ce jour celui de ses films qu'on voit et revoit avec le plus de plaisir : il y trouve en effet une nouvelle liberté de style et possède assez d'aisance pour supprimer les longueurs et nous procurer des moments pleins d'humour. Même *Citizen Kane* ne nous offrait pas à ce point le spectacle de la jubilation qu'éprouve Welles à exercer son talent. Le spectateur n'est soumis à aucune tension et le film est exempt de la lourdeur qui nuit à certains de ses films ultérieurs. L'histoire est traitée avec une telle désinvolture qu'il m'a fallu voir huit fois *La Dame de Shanghai* avant de voir clair dans l'intrigue, mais le film aurait pu être un succès commercial sans quelques-unes de

Cinémathèque française.

La Dame de Shangaï, *Orson Welles (Michael O'Hara) et Rita Hayworth (Elsa Bannister).*

ses provocations les plus flagrantes. Welles détruit un certain nombre de mythes romantiques dans le dénouement, cependant il satisfait un grand nombre de nos espérances tout au long du film. *Le Grand Sommeil,* d'Howard Hawks, dont l'intrigue est encore plus compliquée, connut un énorme succès en 1946, l'année où fut tournée *La Dame de Shanghai,* et le public aurait pu accepter l'image d'une Rita Hayworth criminelle. Mais la Columbia fut si scandalisée par l'atteinte que le film portait à l'image de l'actrice que sa sortie fut repoussée de deux ans et que l'on se hâta de donner à Rita Hayworth des rôles plus conventionnels.

En conséquence le film fut un échec financier complet et le nom de Welles fut désormais maudit à Hollywood. En dépit des torts qu'elle lui causa auprès des producteurs, la légéreté avec laquelle Welles traita son intrigue est un des grands bonheurs du film. Si on n'y retrouve pas l'économie et la précision qui désignaient *Citizen Kane* et *La Splendeur des Amberson* comme des chefs-d'œuvre, *La Dame de Shanghai* révèle, par sa légèreté et sa fantaisie, sa supériorité face à un film plus prétentieux comme *Le Procès :* il l'emporte, non seulement en tant que pur divertissement, mais aussi comme expression complexe et saisissante des thèmes les plus chers à Welles. Comme Robin Wood le dit du film de Hitchcock *La Mort aux trousses :* « Le divertissement le plus léger peut être profond, subtile fin, il peut véhiculer des valeurs morales ; je dirais même que c'est son *devoir...* L'élément ironique au niveau de l'intrigue a pour fonction de diriger notre attention vers d'autres niveaux ».

La comparaison avec Hitchcock s'impose : si on l'analyse comme un simple film policier, le film de Welles en possède les aspects absurdes, et cette lecture ironique de la morale si déroutante pour les critiques qui ne voient en Hitchcock qu'un expert manipulateur d'intrigues à rebondissements. En commentant *La Dame de Shanghai,* le critique a moins de mal à prouver le sérieux du réalisateur, puisque Welles traite explicitement de thèmes qu'Hitchcock n'aborde qu'implicitement – le conflit moral à l'intérieur du cadre de la loi par exemple (dans *La Mort aux trousses,* c'est l'exploitation politique des charmes d'une espionne à qui le gouvernement demande froidement d'utiliser ses pouvoirs de séduction, mais, dans *La Dame de Shanghai,* c'est la vengeance manigancée avec ruse par un avocat infirme) ou le transfert de culpabilité (implicite dans le fait que rien ne justifie l'enlèvement de l'héroïne par Gary Grant, et explicité d'une façon surréaliste dans le film de Welles, où Grisby veut parvenir à convaincre O'Hara de confesser un meurtre qu'il n'a pas commis).

Tout le problème d'une analyse de *La Dame de Shanghai*, c'est qu'il faut saisir l'ironie du film ; celle-ci tient à la distance qui sépare les impératifs moraux de l'intérêt très modéré que semblent leur porter les personnages. Dans *Le Procès*, la vie de K. est entièrement bouleversée dès qu'il entreprend des recherches sur les principes qui régissent son cas, et dans *La Soif du Mal*, Quinlan passe son temps à pallier les carences morales de la loi, mais, dans *La Dame de Shanghai*, O'Hara considère sa fâcheuse situation légale comme une aventure malencontreuse de laquelle il lui faut venir à bout afin de passer à des choses plus importantes, en l'occurence à la femme de l'avocat, Elsa Bannister. Il découvre qu'elle est, pour son malheur, l'instigatrice du meurtre, et bien qu'il ait voulu ignorer les difficultés, elles pèsent gravement sur son sort. A la fin, il aura été forcé d'adopter une position philosophique qui, sans être aussi définitive, est similaire à l'acceptation tragique des autres héros wellesiens. Ce sera moins une conclusion qu'un début, la décision du héros de pactiser avec le monde.

La Dame de Shanghai est le seul des films de Welles à être avant tout une comédie. *Falstaff* est également le portrait d'un innocent aventurier, mais la capacité d'adaptation, le caractère ouvert et l'humour qui permettent au jeune O'Hara de surmonter sa désillusion, causeront la chute de Falstaff, héros tragique dont la candeur deviendra la tare, comme une confiance aveugle fera la perte d'Othello. Michael O'Hara est un jeune marin irlandais (interprété par un Welles plus capricieux que jamais) : il a « trop bourlingué pour avoir appris grand chose sur le monde », suivant les paroles de Bannister, qui définissent assez clairement le danger que la cécité morale et la crédulité font courir à tous les héros wellesiens. Comme l'ignoble Van Stratten de *M. Arkadin*, il tentera tout, au moins une fois, mais à la différence de ce dernier, l'argent n'est pas son seul intérêt. S'il a déjà tué, c'était pour les républicains durant la guerre civile en Espagne, et ce qui, jusque là, avait été une satisfaction d'amour-propre, ne le sera plus dès que George Grisby, l'associé de Bannister, lui aura dit que tuer en temps de guerre n'était pas tuer (dans le rôle de Grisby, Glenn Anders fait une prestation irrésistible). La naïveté d'O'Hara est aussi ridicule que touchante ; il semble attiré par les personnages les plus vils et les moins scrupuleux, il est comme poussé par une force universelle dont il serait joyeusement inconscient. Il rencontre Elsa à Central Park, où il la sauve d'une agression, et nous confie, avec une humilité toute désinvolte (qui lui permet d'ailleurs de refuser toute identité morale) : « Je commence cette histoire en héros... ce que je ne suis pourtant pas. »

Peu après, la jeune femme parvient à convaincre son mari, Arthur Bannister – mémorablement interprété par Everett Sloane – d'engager O'Hara comme maître d'équipage sur leur yacht lors d'une longue croisière. A ce moment survient Grisby, qui fait à notre héros une étrange proposition : c'est là que l'intrigue se complique sérieusement. Harry Cohn, le producteur du film, sortit furieux d'une avant-première en lançant à la cantonnade : « Mille dollars à celui qui m'explique l'histoire ! » Il faut avouer que la clarté n'est pas le fort du film. Il serait utile d'expliquer l'intrigue. Grisby promet cinq mille dollars à O'Hara s'il avoue l'avoir tué, de façon à ce qu'il puisse disparaître dans une île du Pacifique en emportant la prime d'assurance que sa femme aura touchée. Il n'y aura pas de cadavre, O'Hara ne sera donc pas condamné, mais il y aura aveux, donc Grisby sera légalement mort. Il passera ainsi le restant de ses jours loin de l'holocauste nucléaire qui, d'après lui, va se produire bientôt. O'Hara accepte le marché sans savoir de quoi il retourne et avec l'intention (naïveté suprême) d'utiliser l'argent pour enlever Elsa à son mari. La nuit où doit être simulé le meurtre, Grisby abat un détective employé par Bannister et qui a découvert le pot-aux-roses. Grisby disparaît, mais le détective agonisant dévoile à O'Hara qu'il a été berné et que Grisby, avec l'aide d'Elsa, va assassiner Bannister (dont il convoite la fortune) tout en faisant retomber la faute sur Michael. Ce dernier se précipite au bureau de Bannister pour empêcher le meurtre, mais il y est accueilli par une horde de policiers (qui trouvent ses aveux dans sa poche), par Elsa et Bannister – et par le cadavre de Grisby.

O'Hara se demande si « c'est lui, ou le reste du monde, qui est devenu complètement fou » – doute subtil qui pousse également Joseph K. à se rendre. Bannister, qui n'a jamais perdu un procès, assure la défense d'O'Hara dans une scène de tribunal au comique grinçant et à l'issue de laquelle il espère le voir condamné. O'Hara parvient cependant à s'enfuir juste avant le verdict en feignant une tentative de suicide, puis en se faisant passer pour l'un des jurés d'un autre procès. Il se retrouve dans un théâtre de Chinatown : il est suivi par Elsa, dont les sbires chinois parviennent à le piéger dans la « maison des monstres » d'un parc d'attractions désert. Après avoir traversé une série vertigineuse de trappes et de toboggans, sorte de vision apocalyptique du chaos qui l'attend s'il

La Dame de Shangaï, *Orson Welles et Rita Hayworth,* reflets de l'amour et de la mort.

se rend, il arrive dans le palais des glaces où il se retrouve en présence du visage multiplié à l'infini de sa séductrice. Bannister surgit alors pour dire à Elsa qu'il a tout expliqué au Procureur dans une lettre (elle a tué Grisby parce qu'il avait perdu la tête et tué le détective). Sous les yeux d'O'Hara, mari et femme tirent l'un sur l'autre tandis qu'alentour les miroirs volent en éclats. Elsa parvient péniblement à sortir de la salle en rampant et dit à O'Hara qu'il ne devrait pas essayer de combattre le mal. O'Hara la quitte agonisante et, marchant dans l'aube grise vers la mer, il nous dit : « Je suis allé appeler les flics, mais je savais qu'elle serait morte avant qu'ils n'arrivent – et que je serais libre. La lettre de Bannister au Procureur aurait tout éclairci, je serais déclaré innocent. Quel grand mot, "innocent" ! "Stupide" serait plus juste. Oui, l'amour rend idiot. Le seul moyen de s'en sortir, c'est de prendre de l'âge, et je crois que c'est ce à quoi je vais m'appliquer maintenant. Peut-être vivrai-je assez longtemps pour l'oublier – et peut-être que je n'y serai pas encore arrivé sur mon lit de mort. »

Quoique Welles explique l'intrigue, au moment où O'Hara traverse la « maison des montres », il nous est impossible de prêter la moindre attention à ce qu'il dit. Le seul fait dont nous soyons certains (à moins que nous n'ayons étudié l'intrigue à tête reposée) est qu'Elsa est la cause de tout, que Bannister l'a protégée contre son gré et qu'O'Hara était la victime toute désignée. Grisby, quant à lui, demeure un mystère complet. Nous ne pouvons pas bien comprendre sa peur panique de la bombe (bien que ce soit une peur naturelle, on voit mal pourquoi lui, en particulier, y cèderait, puisqu'il semble aussi invulnérable que Iago – du moins jusqu'à ce moment extraordinaire où O'Hara, médusé, voit emporter son cadavre sur un chariot : moment où le film bascule de l'irrationnel à la folie), et nous ne pouvons pas d'avantage trouver une explication plausible – à moins d'une contrainte poétique à l'insouciance dont il fait montre en dupant O'Hara. Sans la prestation brillante, amusante et très concrète de l'acteur – c'est-à-dire avec un Glenn Anders jouant son rôle au premier degré – Grisby aurait paru un personnage trop abstrait pour nous émouvoir autant qu'il le fait. Il serait aussi fastidieux que l'Avocat du *Procès*. Paradoxalement c'est à cause de cette épaisseur du personnage que Grisby est une force poétique réelle, une Furie dont le dessein est de révéler à l'innocent O'Hara la puissance du Mal et l'existence du chaos.

O'Hara est rebuté par le nihilisme de Bannister, mais la

La Dame de Shangaï, le yacht Circé dans le film (dans la vie le Zacca propriété d'Errol Flyn).

La Dame de Shangaï, panique au tribunal.

tentation que représente Elsa est plus subtile : c'est l'attrait du fatalisme romantique. Lorsqu'ils dansent, elle lui dit : « Le mal est partout Michael partout. Tu ne pourras pas y échapper, ni lutter contre. Il faut t'en accommoder, traiter avec lui, pactiser. » Dans l'univers de Welles, l'abandon est le mal suprême, l'indignité totale, et ce qu'Elsa ne fait que formuler, Bannister Grisby le démontrent par leurs actes. De même qu'à la fin du *Procès,* la bombe sert – ici à Grisby – d'excuse à l'irresponsabilité. La célèbre formule d'Antonioni selon laquelle « sous la bombe chacun est un héros, et personne n'est un héros » trouve une réponse dans la réplique qu'O'Hara adresse à Elsa : « Vous voulez dire qu'on ne gagne jamais ? Donc, on n'est jamais perdant. Sauf si on démissionne. » Welles place ses héros dans des situations extrêmes de façon qu'ils choisissent leur camp, qu'ils se battent, ou abandonnent toute résistance. Il se refuse à rendre le monde responsable des erreurs des hommes, car il comprend que cette attitude est, au mieux, sentimentale et, au pire, suicidaire. Il entoure son héros de personnages qui ont choisi l'irresponsabilité ou ont cédé au chantage économique de Bannister ; le meurtre et l'autodestruction restent sa seule issue. En acceptant son impuissance, Bannister ne peut attirer que notre pitié. Grisby, quant à lui, a la dignité du psychotique qui règne en accord avec ses propres lois sur un monde qui n'est qu'à lui – semblable à Quinlan dans la mesure où il utilise la procédure à mauvais escient, mais différent de lui en ce que ses visées sont strictement personnelles et suicidaires. Il est dépourvu de stature tragique parce que ses actions ne sont motivées par aucun impératif moral. S'il atteint à une sorte de comique shakespearien, c'est uniquement parce qu'il tire une telle jouissance du désespoir (dont il ne se cache pas) que nous le suivrions volontiers dans cette voie si Welles n'introduisait un personnage plus admirable – à travers lequel il insiste sur la capacité de l'homme à transcender la folie qui l'entoure.

Il est significatif que Welles ait choisi de mettre dans la bouche d'une belle femme, son ex-épouse, la formulation la plus précise de son péché le plus grave. Le réalisateur a baptisé le yacht de Bannister Circé, et il fait chanter à Elsa la chanson *Please Don't Kiss Me* (Ne m'embrassez pas s'il vous plaît) grâce à laquelle elle attire O'Hara qui, sous le charme, remonte de la cale. La fascination que la femme exerce – comme une sirène – sur le jeune marin errant dans un monde semé d'embûches est renforcée, tout au long du film, par l'histoire qu'O'Hara raconte sur des requins qui s'entre-dévorent et sont affolés par la vue et l'odeur de leur propre sang, par l'exotisme nébuleux de Chinatown, par les chimères de la « maison des monstres » avec son panneau « Stand Up or Give Up » (Tenez bon ou craquez) ou les mâchoires du dragon qui engloutissent O'Hara, par la furtive étreinte devant l'aquarium où se contorsionnent des monstres marins ou, enfin, par le montage, lourd de symboles, lors du pique-nique sur la rivière (Elsa avec le flamand et le serpent, O'Hara avec les perroquets, Grisby avec le crocodile). Dans l'univers de Welles, les femmes offre une tentation de passivité, d'un confort affectif qui détourne l'homme de son but, d'une protection contre la réalité qui peut devenir étouffante et le condamner à l'invalidité. Le traîneau de Mrs Kane, la dévotion désintéressée d'Isabel, la pureté de Desdémone, l'innocence de Raina ou les « baisers câlins » de Dolly Beaux Draps sont autant d'évocations charmantes d'un passé disparu dans lequel le héros peut plonger comme dans un antidote à la folie du pouvoir, mais duquel il doit se démarquer de peur d'utiliser sa simplicité obsessionnelle, aveugle, comme un talisman contre le Mal.

O'Hara trouve refuge contre les agissements criminels de Bannister et de Grisby dans l'image qu'il se fabrique d'Elsa : il refuse d'admettre que le pouvoir maléfique de sa beauté indemne de toute corruption est d'autant plus fort que sa complicité avec les formes du Mal est dissimulée. Elle aussi pourrait dire : « Je ne suis pas ce que je suis. » A la fin du film, le romantique laisse mourir son idéal – dans une des scènes les plus poignantes que Welles nous ait jamais données, et qui préfigure cette sombre inquiétude qui tourmentera dorénavant tous ses héros quand ils parviendront à maturité. Vingt ans plus tard, lorsqu'il retrouve l'homme de bonne volonté, celui-ci est un vieillard bouffi et moribond. Sa gaieté sera mélancolique et la légèreté de son humour cèdera la place aux sarcasmes dirigés contre lui-même.

8. Macbeth et Othello

Welles et Shakespeare.

A l'époque du Mercury Theatre, on demanda à John Houseman quand débuteraient les représentations du *Jules César* de Welles. « Quand Welles aura fini de l'écrire », répondit-il. Les gens ont souvent l'impression que Welles se rue dans Shakespeare pour le simple plaisir d'entendre le bruit mat de la collision : c'est faux. Ce préjugé, dû en partie au caractère tapageur et inégal de certaines de ses adaptations et en partie au caractère brillant de son style, ignore le fait qu'imperfections comme réussites ont la même source. Shakespeare fut le premier amour de Welles au théâtre, et chaque fois qu'il a dû retrouver son identité artistique, c'est vers Shakespeare qu'il s'est tourné. Dans les pièces de Shakespeare, il retrouve ses propres thèmes, et les personnages ont une stature suffisante pour justifier ses imaginations les plus grandioses : mais il y trouve aussi quelque chose à quoi affronter son propre égotisme, un idéal théâtral qui le force à adapter ses obsessions subjectives aux exigences de l'universel.

Welles a expliqué son refus de monter une version dramatique de *Crime et Châtiment* par son entière adhésion aux thèmes de Dostoïevsky, adhésion qui ne lui laissait plus comme tâche que celle d'illustrer le livre. Chez Shakespeare, en revanche, il rencontre une puissance créatrice supérieure dont les manifestations dramatiques sont susceptibles de confirmer ses idées mais aussi de leur conférer une autre portée. En adaptant Shakespeare, il peut pousser sa conception du héros aussi loin qu'il l'entend sans pour autant, comme dans *M. Arkadin,* rétrécir son approche sociale du sujet. « Shakespeare est le soutien de la vie », lui a-t-on entendu dire, et il est clair qu'il conçoit Shakespeare comme sa conscience artistique, l'exemple parfait de la fusion d'une vision personnelle avec la pleine complexité de la nature humaine. Si, à l'instar de Shakespeare, il refuse de porter un jugement de valeur sur ses personnages et ne sacrifie jamais la conception qu'il en a à un quelconque message idéologique, il souligne à chaque instant la présence du contexte moral dans lequel ils évoluent. Chez Shakespeare, enfin, il trouve un décor que pourront habiter ses personnages hors du commun. De même que John Ford fuit le présent dénué d'héroïsme pour retrouver le temps de la « Frontier », Welles trouve dans les châteaux médiévaux et les champs de bataille des décors susceptibles de nourrir la grandeur d'âme. S'il parvient à créer des univers héroïques à la mesure de l'appétit de puissance de ses héros dans *La Soif du Mal* et *Citizen Kane,* dans *M. Arkadin* et *Le Procès* les tentatives du réalisateur de créer un univers égocentrique se heurtent à l'étroitesse morale de ses héros. La forme shakespearienne lui permet, au contraire, d'accorder à un Macbeth, à un Othello ou à un Falstaff un pouvoir difficilement justifiable dans un monde moins féodal.

Jeune homme, Welles aborda son maître avec un moi débordant. Il mit en scène à Harlem un *Macbeth* joué entièrement

Orson Welles lors du tournage d'Othello.

par des Noirs, dans lequel les sorcières pratiquaient le vaudou, et la scène était située à Haïti ; il fit de *Jules César* une allégorie du fascisme ; et, entreprise spectaculaire, il combina huit des pièces historiques de Shakespeare dans un unique spectacle, gigantesque, qu'il appela *Five Kings* et qui fut la perte du Mercury Theatre. Bien que sa fidélité au texte s'accroisse progressivement dans la deuxième puis dans la troisième de ses adaptations cinématographiques de Shakespeare, il est paradoxalement de moins en moins fidèle à l'esprit au fur et à mesure qu'il parvient mieux, avec plus de grâce grâce et plus d'assurance, à unir la vision de Shakespeare à la sienne. S'il ne se livre plus aux acrobaties d'un *Macbeth* vaudou, il prend une liberté plus grande encore lorsqu'il infléchit les lignes de force dans le rapport Falstaff-Hal en déplaçant l'accent de l'éveil moral d'un roi idéal à la destruction délibérée de l'innocence par un jeune homme qui découvre le pouvoir. Le thème privilégié par Welles était déjà présent, bien sûr, mais Shakespeare s'intéressait surtout au thème de la royauté, qui devient secondaire chez Welles. Il reste que, dans ce cas, la vision de Welles est parvenue à sa maturité, et que nous ne ressentons plus le tiraillement entre deux systèmes moraux, si préjudiciable à

107

son *Othello* par exemple, où le texte et le jeu de Welles-acteur vont, à l'encontre des tentatives de Welles-réalisateur, faire de Iago le héros de la tragédie. Welles a réussi à resserrer son propos, de sorte qu'il évite maintenant de raconter toute l'histoire de l'Angleterre de 1377 à 1485 et se concentre au contraire sur le drame social sous-jacent à l'histoire d'un seul roi. Le public de *Falstaff* ne remarque guère les modifications importantes apportées au texte des pièces car Welles les a opérées avec douceur et avec une grande discrétion ; dans *Five Kings* au contraire, elles étaient un des principaux attraits du spectacle.

Une adaptation de Shakespeare par Welles n'est pas une œuvre d'art *ad hoc* mais le fruit d'une vie entière d'études et d'expérimentation. Le projet de *Falstaff,* par exemple, précédait même celui de *Five Kings.* Welles avait déjà adapté les chroniques à l'âge de douze ans quand il était encore élève à la Todd School de Woodstock, à l'époque où il dirigeait le groupe de théâtre qui jouait, non seulement Shakespeare, mais encore Jonson, Marlowe, Dekker, Ford ou d'autres dramaturges élisabéthains. L'idée germa en lui, jusqu'à ce qu'il monte *Falstaff* en 1960 à Belfast ; en 1964, il parvint à réunir les fonds pour le film qu'il termina en 1966, menant ainsi à bien une quarantaine d'années de projets et d'expérimentations.

Shakespeare a été sa pierre de touche pendant presque toute sa vie.

Quand il avait deux ans, raconte-t-il, sa mère lui lisait les *Contes d'après Shakespeare,* de Charles Lamb, et quand il découvrit qu'il s'agissait d'une version destinée aux enfants, il exigea qu'elle lui lût les textes originaux. Il reçut d'elle son premier livre, *Le Songe d'une nuit d'été,* pour ses trois ans, et il eut tôt fait de garnir les rayonnages de sa bibliothèque des œuvres complètes du Barde. Très jeune, il assista à des représentations théâtrales des pièces, qu'il adaptait (en plus de ses propres créations) pour le théâtre de marionnettes dont il faisait toutes les voix, devant un public composé des membres de sa famille. A sept ans, il récitait tous les monologues du *Roi Lear,* et il prétend avoir connu tous les rôles tragiques dès l'âge de dix ans ; à neuf ans il avait déjà interprété le Roi Lear dans une version condensée de la tragédie jouée dans la cour de sa maison. Il aimait par-dessus tout jouer les personnages les plus noirs – Richard III, Brutus (et Cassius au cours de la même représentation), Scrooge ou Judas. Il démontra sa polyvalence en interprétant dans une pièce la Vierge Marie et le Christ dans une autre. Adolescent, il déclara que sa pièce préférée était *La Duchesse de Malfi*, à laquelle il préféra *Lear* par la suite, *Lear* dont il espère toujours réaliser une adaptation cinématographique.

Leni Riefenstahl a commenté de manière intéressante les films shakespeariens de Welles : « Orson Welles tire de merveilleuses images de Shakespeare mais ses films ressemblent à des opéras ou à des ballets inspirés de Shakespeare, ils ne sont pas Shakespeare. » Welles adopte une position similaire : « J'utilise le texte et les personnages de Shakespeare pour en faire des films. Ce sont des variations sur des thèmes... Sans prétendre me comparer à lui, je crois que Verdi est ma meilleure justification. *Othello* l'opéra n'est pas *Othello* la pièce de théâtre. Il n'aurait guère pu être écrit si Shakespeare n'avait pas existé, mais c'est tout de même avant tout un opéra. *Othello* le film, j'espère, est avant tout un film. » En infléchissant les lignes de force des textes shakespeariens de façon à les relier plus facilement à celles qui parcourent son œuvre personnelle, Welles ne désire ni déformer, ni attaquer, ni ignorer les originaux. Sa principale interrogation dans *Macbeth* et dans *Othello*, qu'il ne résoudra d'ailleurs que dans *Falstaff*, porte sur l'harmonisation et la stylisation. Les deux premiers films souffrent de sérieux handicaps : le budget de *Macbeth* ayant été extrêmement limité, le film est d'une grande rudesse dans le ton — rudesse qui contribue cependant à créer l'atmosphère compacte de superstition nécessaire au sujet tout en empêchant Welles d'harmoniser sans heurt sa conception du personnage de Macbeth avec celle de Shakespeare ; *Othello*, quant à lui, pâtit d'une mauvaise synchronisation (elle est à l'origine d'une certaine incertitude dans les mouvements de caméra et responsable d'une certaine inefficacité des dialogues) et du hiatus qui existe entre l'interprétation de Iago et le texte d'origine.

Mais la question essentielle pour Welles, question qu'il résout partiellement dans *Falstaff*, concerne l'équilibre stylistique à trouver entre la poésie et le décor. Seuls, dans *Macbeth*, les extérieurs de brume fournissent le nécessaire contrepoint naturaliste aux décors de papier mâché du reste du film. Pour *Othello*, Welles ayant pu tourner ses extérieurs en Italie, sur l'île de Torcello et au Maroc, la liberté dont il a joui dans le choix de ses décors a énormément contribué à l'établissement de l'atmosphère voulue. Dans *Macbeth*, lors de l'arrivée de Duncan par exemple, tous les détails horribles des costumes et de l'accoutrement païen des tambours ne peuvent faire oublier l'ambiance factice du plateau où le ciel est une toile peinte, les rochers du carton pâte et ainsi de suite. On nous renvoie à la conception du drame comme spectacle théâtral, et le style de Welles est trop expressionniste pour intégrer une ambiance aussi surnaturelle sans affecter l'ironie du jeu entre le moi d'un héros démesurément présomptueux et les contraintes de la responsabilité sociale. Les plans d'ensemble sur la maquette du château fonctionnent parfaitement dans *Citizen Kane* parce qu'ils sont juxtaposés dans la bobine d'actualités à des plans du véritable château de Hearst ; nous acceptons sans problème la stylisation d'un plan où l'on voit, de nuit et à travers le flou d'un rideau d'arbres, le château plongé dans une obscurité que seul vient percer le clignotement de quelques lumières vacillantes parce qu'on nous a montré auparavant des vues aériennes du château prises le jour. La tension du décor va de pair avec celle du personnage : tandis que Kane s'enferme de plus en plus profondément dans le monde clos de son imagination, on ne nous présente plus le château comme un bâtiment réel mais comme une projection de son esprit. De même, au début de *La Splendeur des Amberson,* Welles veille à conférer une réalité quasi-documentaire à la fois à la résidence et à la ville qui l'entoure ; au fur et à mesure que s'installe une atmosphère de claustrophobie, on nous présente de moins en moins une vue d'ensemble et toujours davantage des intérieurs torturés et ombreux à la manière expressionniste.

La conclusion que nous pouvons tirer de tout cela est que, plus le personnage est stylisé, plus grande doit être l'attention apportée aux paysages et aux décors. Si les décors de *Macbeth* rendent impossibles de telles considérations et font plonger le film dans le plus pur expressionnisme (avec ses vertus et ses limites), ceux de *Falstaff* résolvent magistralement le problème. Tout d'abord, Welles tourna en Espagne – non seulement parce que le film fut produit avec des capitaux espagnols mais aussi parce que, dans les châteaux, dans les villes et sur les visages mauresques, il découvrit un univers qui, à l'instar de l'effrayant décor de la frontière dans *La Soif du Mal,* ni historique ni platement figuratif, lui permettait au contraire de jouer sur toutes les nuances, du naturalisme au grotesque. Cela, nous le retrouvons dans *Othello,* le film dans la scène du parapet notamment, où Iago aiguillonne la jalousie du Maure. La lumière est celle d'un crépuscule étrange, légèrement irréel. Othello porte une ample houppelande blanche, et un éclairage venant de la gauche entoure son profil d'un halo ; avançant et reculant sans arrêt, il accule Iago au bord du précipice au fond duquel, au pied d'une hauteur vertigineuse, nous voyons se fracasser les vagues.

C'est à une stylisation semblable que Kurosawa est parvenu dans les scènes de la forêt dans son adaptation de *Macbeth* : deux cavaliers tournent en rond dans les affres d'une tempête ; filmés au téléobjectif, leurs gestes sont vus en raccourci et comme hâchés par l'écrasement de la perspective.

« Le problème de la re-création d'un monde a été résolu dans les westerns et les films historiques japonais, nous dit Welles, grâce à l'évolution de toute une tradition. Dans le cas de Shakespeare, ajoute-t-il, les personnages sont dotés d'une vitalité telle qu'aucun humain ne peut en être pourvu. Ce n'est pas en revêtant simplement leurs costumes qu'on leur ressemblera : il faut recréer un monde autour d'eux... Dans *Henri V,* par exemple, des cavaliers sortent du château, puis on les retrouve soudain sur une espèce de terrain de golf où ils s'entretiennent. On ne peut pas s'y tromper : ils ont pénétré dans un autre univers... Moi, j'essaie de voir avec les mêmes yeux le monde extérieur, réel, et le monde intérieur, celui de l'imagination. J'essaie de parvenir à une sorte d'unité. » Welles pose ici le problème de l'intégration du personnage et de la poésie dans un même rythme visuel : c'est de ce problème que nous nous préoccuperons principalement dans notre analyse de ses trois films shakespeariens.

Macbeth

Durant toute la durée de son séjour hollywoodien, Welles essaya en vain d'intéresser les grandes maisons de production à son projet de tourner *Macbeth* avec un minimum de décors mais en ayant répété à l'avance tous les mouvements de caméra et le jeu des acteurs. Il finit par convaincre Herbert Yates de le financer. Herbert Yates était président de Republic Pictures, une compagnie dynamique et très critiquée, spécialisée dans les *quickies, courts métrages produits à bon compte : il admirait le travail de Welles et fut impressionné par sa promesse de tourner le film en trois semaines. En guise de répétition, Welles emmena sa troupe au Festival du centenaire de l'Utah à Salt Lake City, après quoi il retourna à Hollywood, où il lui fallut vingt-trois jours pour tourner le film, à un coût inférieur à 200 000 dollars. Macbeth* fut l'objet de toutes sortes de sarcasmes parce qu'on n'y avait pas sacrifié, ne fût-ce qu'en apparence, aux finesses du métier.

En quête de commentaires sur *Macbeth*, ce n'est pas vers l'autorité (ignoble quand elle s'en prend aux esprits réfractaires) que nous nous tournerons d'abord, mais vers la complicité de Jean Cocteau qui vit dans le film un « spectacle étrange et magnifique ». Voici ce qu'il en dit après que Welles le lui eût projeté dans une petite pièce à Venise : « Le *Macbeth* d'Orson Welles laisse le spectateur sourd et aveugle, et je crois vraiment que ceux qui aiment le film (j'ai l'honneur de m'inclure parmi eux) n'en attendaient pas moins... Coiffés de cornes et de couronnes de carton, vêtus de peaux d'animaux comme les premiers automobilistes, les héros du drame évoluent dans les couloirs d'une sorte de rêve souterrain, dans des antres dévastés et suitants, dans une mine de charbon abandonnée. Les prises de vue sont toujours périlleuses. On trouve toujours la caméra là où l'œil du destin suit ses victimes. On se demande parfois à quelle époque a lieu ce cauchemar, et lorsque nous rencontrons Lady Macbeth pour la première fois, avant que la caméra ne recule pour la replacer dans son contexte, c'est presque une femme en costume moderne que nous voyons, près du téléphone, allongée sur un divan recouvert de fourrure.

« Dans le rôle de Macbeth, Orson Welles se révèle un tragédien considérable, et si l'accent écossais tel que l'imitent les Américains est presque insupportable aux oreilles britanniques, il ne me gêne pas, et je crois que même si je possédais la langue anglaise, il ne me dérangerait pas, parce que c'est ce à quoi il faut s'attendre de la part de ces montres bizarres qui expriment dans une langue monstrueuse les mots de Shakespeare, qui sont encore les leurs. Bref, je suis bien mauvais juge, et en même temps meilleur juge qu'un autre dans le sens où, sans être gêné le moins du monde, je ne prends part qu'à l'action, et où c'est d'elle seule que provient mon malaise, plutôt que d'une faute d'accent ».

L'absence totale de relation morale entre le héros et la société – absence intensifiée par les aspects surnaturels de la pièce et la nature hallucinatoire, teintée de solipsisme, de l'ambition de Macbeth, trop impulsive pour agir par calcul – intériorise le drame plus que dans aucun autre film de Welles jusqu'à *Une histoire immortelle*. Nous sommes dans le théâtre de l'inconscient. Mais c'est dans le ça de Macbeth, plus que dans son surmoi que nous sommes entraînés. Dans ses passages les plus réussis, *Macbeth* ressemble à des films d'horreur classiques, comme *King Kong* (l'un des films préférés de Welles), qui ignorent les subtilités psychologiques pour représenter de manière plus efficace le choc

112

Macbeth, Shakespeare vu par *Welles*.

des émotions et des actions les plus antagonistes et nous plonger dans le monde du cauchemar. Les faiblesses de *Macbeth* se trouvent dans les passages où la caméra se contente d'observer un personnage qui récite un monologue. L'implicite complexité émotive du texte – ignorée par les acteurs, hormis Dan O'Herlihy dans le rôle de Macduff – ne parvient qu'à nous distraire de la simplicité des images : dans un cauchemar, on n'a jamais le temps de penser, on est entraîné sans défense et toute faculté critique est suspendue. Welles ne met aucune subtilité dans son interprétation de Macbeth. Si sa prestation, tout juste plus qu'acceptable, nous semble plus appropriée que celle de son Othello – dans le même registre du fou mélancolique – c'est peut-être que la mise en scène œuvre dans le même sens, avec une rudesse similaire. Bien qu'il filme en plans-séquences à maintes reprises, Welles, pour des raisons d'économie, déplace ses acteurs bien davantage que sa caméra ; en règle générale, on voit Macbeth virevolter au premier plan tandis que les autres, relégués à l'arrière, s'avancent vers lui à tour de rôle. Le film comporte aussi une quantité invraisemblable de gros plans, conséquence de la rapidité et de l'énervement avec lesquels il a été tourné, mais signe néanmoins de l'égocentricité tout amorale du héros.

Macbeth nous plonge encore plus profondément que le *Procès* dans un univers cauchemardesque, parce qu'il n'existe ici aucune distanciation. Nous sommes jetés dans la peur et le chaos sans explication ni préparation. On peut dire que le film appartient au domaine du mélodrame plutôt qu'à celui de la tragédie, sans voir rien de rédhibitoire dans ce fait. Welles a accepté les limites imposées et les a pliées à ses propres fins. Macbeth, explique A.C. Bradley, est hanté par « l'image de son cœur coupable ou de ses actes sanglants ou encore par quelque image qui puise là sa terreur et sa noirceur. Quand ces images surgissent, elles le paralysent et le possèdent entièrement, dans un espèce de transe qui est en même temps l'extase du poète... Son imagination... court généralement plus haut et plus profond que ses pensées conscientes ; il eût d'ailleurs été sauvé s'il lui avait obéi ». Le Macbeth de Welles est au centre d'un ouragan de forces destructrices qui est plutôt le combat engagé par l'esprit pour atteindre un certain niveau de conscience que celui d'une insatiable volonté de puissance. Le meurtre ne l'affecte guère : dès le début, il semble un somnambule, et son incapacité à concevoir l'usage du libre arbitre nous empêche pratiquement de le considérer comme un héros tragique.

Chez Shakespeare, le rôle des sorcières se limite à la prophétie : rien dans la pièce, souligne A.C. Bradley, ne permet d'affirmer qu'elles détiennent la clef du destin de Macbeth. Elles ne font que libérer les impulsions longtemps réprimées de son illégitime ambition, qu'il avait jusque là sublimées dans l'exercice légitime de la guerre. Welles transforme complètement le rôle des sorcières. Dans la séquence initiale – dont nous avons vu qu'elle établissait dans la plupart des films de Welles la présence du « péché originel » et constituait une parenthèse ironique, omnisciente, par rapport aux agissements du héros – on voit les mains des sorcières modeler une figurine de glaise dans leur chaudron bouillonnant et lui donner la forme d'un enfant avant de poser une couronne sur sa tête. Quand Macbeth les rencontre pour la première fois, elles se tiennent sur une colline, leur bâton fourchu, emblème druidique, à la main. Le dernier plan du film les montre, leur bâton toujours à la main, tournoyant dans la brume, autour du château de Macbeth, dans une scène qui rappelle indubitablement *Citizen Kane*.

Welles crée aussi un nouveau personnage, un prêtre de grande taille aux longues tresses et à l'air sinistre, qui exhorte Duncan et sa cour, dans ses incantations, à abjurer Satan « et les autres esprits du mal qui rôdent de par le monde, cherchant à perdre les âmes ». La dernière apparition du Macbeth « vaudou » intervient au moment où Macduff, faisant tourner son épée, atteint Macbeth au cou. Un raccord nous fait passer à un plan sur la figurine de glaise – elle a la tête coupée, la couronne minuscule tombe à terre ; puis l'on voit Macduff lancer la tête de Macbeth du haut du promontoire. Le spectateur a donc l'impression d'une société hésitant dangereusement entre le paganisme et une éthique chrétienne rudimentaire. Macbeth, quant à lui, est déchiré par ces contradictions, incapable de les résoudre et seulement conscient que :

> ... *ce Duncan*
> *A montré un pouvoir si doux, il a été*
> *Si équitable en sa haute fonction, que ses vertus*
> *Telles des anges, trompettes parlantes,*
> *Plaideront contre*
> *Le crime abominable de sa suppression...* (I,7,16-20)

Duncan est donc ainsi le prototype du roi chrétien, sur lequel Welles se penchera encore dans *Falstaff*, mais il l'est seulement dans l'esprit de Macbeth. Pas plus que chez Shakespeare, on ne sent ici, dans le personnage de Duncan, le sens du pouvoir ou de

Macbeth, *Orson Welles* dans le rôle de *Macbeth.*

la noblesse. Dans le film, son rôle se borne à présider l'abjuration de Satan et l'exécution sommaire du prisonnier de Macbeth, juste avant. Il parvient à la Cour précédé d'une meute de chiens et de porcs. Macbeth embrasse son épouse tandis qu'à l'arrière-plan des cadavres se balancent à des gibets. Une telle société ne peut qu'encourager l'ambition de Macbeth.

Les sorcières ne sont pas les instruments du destin chez Shakespeare, parce que la notion de personnage est liée pour lui à celle d'un ordre supérieur et inviolable de la Nature que Macbeth perçoit d'ailleurs (vaguement) dans ses monologues. Welles, au contraire, s'intéresse à la conscience du héros en tant que force agissant sur elle-même, à l'exclusion de la société. Quelque vénal qu'il soit, le héros de Welles mène un combat supérieur parce qu'il ne rencontre personne de sa propre stature ; à la différence du personnage de Shakespeare, le Macbeth de Welles (jusqu'au moment de la destruction) ne reconnaît aucun ordre qui lui soit supérieur. Si, pour le Macbeth de Shakespeare, les sorcières ne jouent qu'un rôle de catalyseur, elles sont l'instrument-même de la perte de celui de Welles, les forces qui l'ont formé et auxquelles il n'a pas trouvé la force de s'opposer.

C'est la mauvaise prestation de Jeanette Nolan dans le rôle de Lady Macbeth qui, plus que tout autre facteur, empêche Macbeth de posséder une quelconque référence morale. La scène où l'on voit Lady Macbeth marcher dans son sommeil devrait cristalliser, pour Macbeth de même que pour le public, tout le courant souterrain de culpabilité atrocement refoulée qui l'amène à désespérer du salut. Mais la scène est entièrement ratée à cause de l'actrice et toute possibilité de compréhension des personnages par le public est annulée parce que l'expression de la culpabilité est encore plus intolérable que son déni. Macbteh ne jouit donc pas de l'atmosphère tragique qui enveloppe tous les autres héros wellesiens, et son combat sombre dans le pathétique simple. La présence d'Agnes Moorehead aurait sans aucun doute beaucoup apporté au film. On voit dans *La Dame de Shanghai* avec quel succès Welles sait décrire le passage de la séduction à la folie et, dans *La Splendeur des Amberson*, comment le metteur en scène et l'actrice utilisent la récrimination et l'hystérie comme contre-point moral à la lente évolution du héros, de l'illusion à la prise de conscience. Il n'y a rien de plus chez la Lady Macbeth de Jeanette Nolan qu'une folie fatale. Ni pitié ni terreur chez elle ; seulement la rassurante folie d'un personnage, folie qui reste logée dans un coin retiré de la conscience de Macbeth. On ne ressent jamais qu'il tient à elle et, durant son monologue « Tomorrow, and tomorrow, and tomorrow », après qu'il a appris sa mort, ce n'est pas le visage angoissé du partenaire que nous montre Welles, mais de grands bancs mouvants de brouillard – comme si sa mort n'était pas le signe de la folie de l'orgueil mais la sublime tentation d'une fusion onirique avec les ombres d'une existence trouble et informe.

Othello

« Sentiment étrange d'Eternité lié au film *Othello* », lit-on dans un passage du carnet auquel le Iago de Welles, son vieil ami Micheàl Mac Liammòir, confia ses impressions du tournage, et qu'il publia sous le titre *Put Money in Thy Purse*. Aucun projet de Welles durant toute sa carrière mouvementée, à l'exception peut-être du mystérieux *Don Quichotte*, ne témoigne aussi bien de sa persévérance devant des difficultés monumentales. Le tournage prit presque quatre ans durant lesquels Welles, pour réunir des fonds, joua dans *Echec à Borgia* de Henry King et dans *La Rose noire* de Henry Hathaway, deux films qu'il ne prit pas au sérieux, et dans *Le Troisième Homme*. Nous n'entrerons pas ici dans le détail de ses difficultés pour trouver une Desdémone, de ses efforts désespérés pour joindre les deux bouts, ou rassembler à tout moment sa distribution dispersée aux quatre coins de l'Europe ; il alla même une fois jusqu'à subtiliser du matériel sur le plateau de *La Rose noire* en profitant de l'obscurité, afin de tourner rapidement quelques scènes d'*Othello* à l'insu de tout le monde. Selon les termes de Mac Liammòir, les acteurs formaient « une colonie extrêmement chic mais parfaitement névrosée ». Pour comble de malheur, Welles s'effondra en plein tournage. Bien qu'un repos complet lui eût été prescrit, il se remit vite au travail.

L'héroïsme dont il fit preuve pour achever ce film rend toute critique presque indécente, mais il n'en demeure pas moins que le récit, dans *Othello*, résiste obstinément à la charpente morale qu'on veut lui imposer, et que le style de Welles, dont l'expressionnisme n'a jamais été plus flamboyant, est particulièrement inadapté au traitement d'un conflit psychologique qui exige une analyse introspective, minutieuse et logique. *Macbeth* présentait déjà le même défaut, bien qu'à un moindre degré, en raison du côté relativement plus simple, plus élémentaire du conflit – Lady Macbeth est la proie d'une obsession unique, elle n'a pas le raffinement retors d'un Iago. Durant les premières scènes d'*Othello,* les scènes d'exposition, Welles insiste beaucoup sur le personnage de Iago et se contente de nous montrer brièvement Othello entouré de faste militaire ou occupé à courtiser Desdémone, mais lorsqu'Othello succombe à sa passion, également, Welles élimine pratiquement Iago de l'action. Chez Shakespeare, Iago joue surtout le rôle de catalyseur, mais l'accent est mis davantage sur la genèse de la passion d'Othello que sur le passage à l'acte qui en résulte. Il semble que Welles ait voulu que le sujet du film fût le conflit intérieur d'Othello entre la passivité et le désir d'action – c'est pourquoi il ne nous montre pas les machinations de Iago dans tous leurs détails et préfère nous le montrer comme spectateur des actions d'Othello – , mais la raréfaction des moments de réflexion fait basculer le film dans les zones grandiloquentes du grand opéra.

Welles se complaît dans ce qu'il essaie d'exorciser, d'une façon très proche de celle d'Ingmar Bergman dans son intolérablement claustrophobe *L'Heure du loup*, autre récit du débordement de l'esprit sur la matière. Au lieu de nous ouvrir le monde de la folie en déplaçant insensiblement des émotions normales vers un contexte irrationnel, comme ils le font dans *Shame* et dans *La Dame de Shanghai*, Bergman et Welles, respectivement, nous donnent avec *L'Heure du loup* et *Othello* de purs spectacles de frénésie et de désintégration – spectacles fascinants en eux-mêmes mais, en tant que drames réels, trop distants de notre propre horizon. *Othello* semble une célébration des obsessions de son réalisateur ; un éclair de bon sens serait le bienvenu dans tout ce déchaînement de passion. Ce que Manny Farber dit de Liv Ullman dans *L'Heure du loup* (« comme un couteau acéré s'enfonce dans un fromage trop fait ») pourrait s'appliquer d'ailleurs à la Desdémone de Suzanne Cloutier, dont le jeu net et vigoureux est aussi rafraîchissant qu'une bouffée d'oxygène.

J'hésite à appliquer l'épithète décadent à l'un des films de Welles tant ce terme sert fréquemment à la condamnation d'un style dont on oublie les vertus, et qui a des raisons de s'aventurer au-delà des limites du naturalisme ; mais, par comparaison avec un récit aussi fort (quoique déroutant) que *La Dame de Shanghai*, il est vrai qu'*Othello* est un film complaisant et à la rhétorique diffuse – c'est un film, à proprement parler, décadent. Comme Othello, Michael O'Hara est d'une « nature libre et ouverte », et il est la victime naïve des machinations d'une intelligence supé-rieure, envieuse et auto-destructrice. Mais *La Dame de Shanghai* reste, on peut le dire en toute honnêteté, une comédie ; nous suivons d'un œil critique les déboires d'O'Hara, que nous sommes en mesure de juger tout en partageant ses obsessions. Othello, quant à lui, paraît si vague a côté d'un Iago qui est la détermination-même, qu'on pourrait presque rire de lui si Welles ne veillait pas à montrer uniquement la noblesse tragique qui sous-tend ses actes. Il est certain que le rôle présente des difficultés presque insurmontables ; c'est le plus difficile que Shakespeare ait jamais écrit, d'après Laurence Olivier qui, dans l'adaptation pour le cinéma de Stuart Burge, ose en faire un innocent flamboyant, fanfaron et presque ridicule ; il n'en reste pas moins que l'admiration de Welles pour le personnage – seul, capable d'agir dans un monde d'observateurs impuissants – a une fâcheuse tendance à lui faire accepter sans réserve tous les actes du personnage. Ce qui nous trouble et nous horrifie dans le meurtre de Desdémone, c'est moins l'injustice du geste que son énormité. Dans le rôle d'Othello, Welles ne joue guère d'autre sentiment que la colère ; son discours au sénat, au cours duquel il évoque la cour qu'il a faite à Desdémone, est prononcé sur un ton d'une grande

Othello, *Orson Welles et Suzanne Cloutier.*

platitude, suggérant qu'il était naturel qu'elle succombât à ses charmes – rien ici de ce sentiment du miraculeux que Laurence Olivier transmet avec une telle simplicité. Supprimé aussi le cri enfantin que pousse Othello après le meurtre : « Mon épouse ! Mon épouse ! Quelle épouse ? Je n'ai pas d'épouse. » Desdémone n'est ici qu'une victime infortunée, et sa mort est moins le signe honteux de la folie d'Othello qu'une confirmation de son incapacité irréfléchie à agir.

Il est étrange, également, de voir Welles jouer l'innocent dans une tragédie du pouvoir et de la ruse ; dans toute son œuvre, il n'a assumé ce rôle qu'ici et dans *La Dame de Shanghai*. Dans *Macbeth*, Lady Macbeth est presque inconsistante, et c'est Macbeth qui détient le monopole de l'ambition. Tandis que dans *Othello*, pour quelque étrange raison (l'impossibilité de demander à un acteur de tenir le premier rôle pendant quatre ans n'étant pas la moindre), il joue le rôle de la dupe. Peut-être, à cette étape de sa carrière, Welles a-t-il ressenti le besoin d'explorer les régions plus libres, plus aventureuses de sa nature ; l'un de ses projets (jamais réalisés) de l'époque était une adaptation cinématographique de *l'Odyssée*. Il n'est donc pas fortuit qu'Othello perde sa stature tragique et que Iago devienne le personnage le plus intéressant des deux, sinon le personnage principal du drame.

Welles et Mac Liammòir s'accordèrent pour faire de l'impuissance sexuelle le mobile de Iago : Mac Liammòir, flanqué d'un Roderigo efféminé (devenu son laquais et curieusement, doublé par Welles lui-même) et baissant les yeux d'un air sombre quand il voit Desdémone se jeter dans les bras d'Othello, est excellent. Le choix du thème de l'impuissance en rejoint de semblables dans l'œuvre de Welles. Bannister, le pernicieux infirme, utilise O'Hara et sa propre femme dans un plan d'un masochisme similaire ; l'impuissance sexuelle sert de métaphore à la perversion morale et le pathétique du personnage n'est que le signe de ses carences morales. Nous découvrons Iago, après le prologue, debout au fond de l'église, en train d'observer la cérémonie du mariage d'Othello : grommelant une imprécation (« Je hais le Maure »), il révèle d'emblée la jalousie qui l'habite et son esprit sacrilège. Welles insiste durant toute la scène sur l'aisance, l'air martial, la puissance innée et l'implacable assurance d'Othello ; des salves phalliques et tonitruantes résonnent au moment où il embrasse Desdémone et quand il pénètre dans sa chambre à coucher, et, ironiquement, après qu'il a lancé son « fais-moi cocu ! » et que Iago a dit qu'il se servira de Cassio contre lui.

La fascination que Iago exerce sur Welles est évidente dès le départ, lorsqu'on le voit traîné le long du cortège funèbre d'Othello et de Desdémone avant qu'il ne soit enfermé dans une cage où il pourra méditer la profondeur de sa malignité. La cage réapparaît durant tout le film – pendue à l'extérieur de la chambre nuptiale ! – et l'importance qui lui est donnée, comme celle qui est conférée à Iago au début du film, nous rappelle qu'il paye de sa vie son ascendant sur Othello. Welles réserve d'ordinaire de telles métaphores pour son héros. Même dans *La Dame de Shanghai*, l'entrée de Bannister s'effectue bien après celle de O'Hara, qu'on a bien pris le temps de désigner comme le personnage principal. Dans *Othello*, une double hiérarchie est établie dès le début, et rien ne vient jamais trancher entre les deux. La première image du film est le visage d'Othello renversé, les yeux clos. Lentement, presque imperceptiblement, l'image commence à s'animer. Toute notion d'espace et de temps est étrangement suspendue, et ce n'est qu'au moment où un raccord introduit un plan moyen du cortège que nous comprenons qu'Othello est mort et que c'est son cadavre qu'on transporte.

Welles a utilisé ce genre d'images à quatre reprises dans ses films, et toujours pour souligner un moment d'impuissance totale : on voit le visage renversé d'O'Hara (d'abord flou) au début de la séquence de la « maison des monstres », celui de Joseph K. (d'abord flou), renversé et yeux clos, à son réveil au début du *Procès*, et enfin celui de Wolsey, renversé, un instant avant sa mort dans *Un Homme pour l'éternité*. Plusieurs fois, dans *Othello*, lorsque le héros connaît pour la première fois les affres de la jalousie et lorsqu'il chancelle après s'être donné un coup de poignard, Welles a recours à un mouvement hallucinatoire et centrifuge obtenu grâce à un rapide mouvement panoramique incluant Othello, qui est filmé en contre-plongée : le monde semble flotter autour de sa silhouette agitée de mouvements consulsifs. Ces images suscitent une sensation irrépressible de vertige, donnent le sentiment d'un univers démuni de tout principe directeur ; la soumission au chaos est au centre du film. Le suicide, un acte que Welles réprouve explicitement dans *Le Procès*, est la seule issue pour un personnage aussi impuissant moralement qu'Othello, dont la seule noblesse réside dans l'éclat de son autodestruction.

Si Welles, par tempérament, n'est pas fait pour jouer Othello (ni sans doute pour le mettre en scène) – alors que, par tempérament, il est fait pour des rôles comme Falstaff, César ou

Othello.

Lear – le film n'en connaît pas moins des moments d'une grande pureté et d'une grâce envoûtante : l'inexorable répétition des mouvements, les voiles du cortège funèbre de Desdémone ; le brusque mouvement de la caméra pour s'approcher de Desdémone, qui observe Othello quand il s'adresse au sénat ; le mystérieux plan montrant deux carillonneurs mécaniques en action après que Iago a dit « Je ne suis pas ce que je suis » ; le lent mouvement de la main d'Othello glissant le long de la robe de Desdémone jusqu'au rosaire qu'elle tient dans sa main quand il l'accuse de lui être infidèle ; le plan, quelque peu glaçant, où la caméra s'éloigne de Iago et où l'on voit son ombre suivre Othello ; l'air radieux de Desdémone parmi les ombres des bannières et des hérauts de la victoire lors du retour de son époux parti sur les mers, et les contorsions, le silence, l'étonnement sur son visage quand Othello l'étouffe à l'aide de son mouchoir. Si le film, dans son ensemble, est loin d'être une réussite, ces moments, au moins, ont toute la grandeur des vers qui les ont inspirés.

9. Mr. Arkadin

« Je vais maintenant vous raconter une histoire de scorpion. Le scorpion qui voulait traverser une rivière demanda à la grenouille de le transporter. Non merci, dit la grenouille, très peu pour moi. Si je vous porte sur mon dos, vous me piquerez et la piqûre du scorpion, c'est la mort pour moi. » « Mais où est la logique de tout cela ? demanda le scorpion. Un scorpion ne saurait manquer de logique, et si je vous pique vous mourrez – et je me noierai. » La grenouille, convaincue, laissa le scorpion monter sur son dos, mais au beau milieu de la rivière elle ressentit une vive douleur et comprit que le scorpion l'avait piquée malgré tout. « Logique ! » s'exclama-t-elle en mourant, tandis qu'elle coulait, entraînant le scorpion dans sa chute. « Il n'y a aucune logique dans tout cela ! » « Je sais, répliqua le scorpion, mais je n'y peux rien – c'est mon caractère qui veut ça. »

Welles, dans *Mr. Arkadin.*

Si, dans *Le Criminel*, Welles se livre, même inconsciemment, à une autoparodie, il fait dans *Mr. Arkadin* quelque chose d'à la fois plus dangereux et plus intéressant ; il s'agit, comme *La Femme et le pantin*, de Sternberg ou *La Taverne de l'Irlandais*, de John Ford, d'une œuvre dans laquelle l'artiste outrepasse les limites de son style et traite ses thèmes les plus intimes avec affectation, un soupçon d'ironie et un mépris total pour le réalisme, quel qu'il soit. En cas de succès, on parvient à un affinement des thèmes de l'artiste, qui sont portés à leur paroxysme dans une sorte de libération enivrante. L'intrigue, quelle qu'elle soit, doit demeurer simple de façon à ne pas gêner le libre jeu des motifs et la libre expression des personnages. Les dangers de tels excès sont évidents, bien que, chez Sternberg et Ford, le problème soit moins aigu puisqu'à un premier niveau, les intérêts du réalisateur et du public coïncident. Le public de Ford peut voir Lee Marvin jouer avec un train électrique sans y voir une métaphore ironique de l'anarchisme de Liberty Valance ; celui de Sternberg, peut de même, succomber à nouveau au charme de Marlène Dietrich dans *La Femme et le pantin*. Welles, cependant, ne veut pas que les spectateurs voient son film au premier degré : et c'est en cela essentiellement que *Mr. Arkadin* échoue.

Sur le plan thématique, Welles reprend ici *Citizen Kane*, d'un point de vue plus désabusé. Gregory Arkadin est une figure légendaire, un magnat de la grande finance : il habite dans un

Mr Arkadin, *Orson Welles, Robert Arden et Paola Mori.*

Mr Arkadin, « La blancheur de la vérité » *Orson Welles et Robert Arden.*

château de contes de fées où il protège l'innocence de plus en plus menacée de sa fille, tout en méditant sur les existences brisées qu'il a laissées sur son sillage. Un jeune homme ambitieux, Guy Van Stratten, se présente à Arkadin, qui loue ses services : il devra reconstituer les parties manquantes du passé incertain de son nouvel employeur, tout comme Thompson plongeait dans le passé de Kane – avec la différence qu'Arkadin étant toujours en vie, sa présence confère à l'enquête une sorte de détachement bizarre. Van Stratten en apprend sur Arkadin plus qu'il ne devrait et effraie le vieil homme en menaçant de dévoiler à sa fille l'origine de sa fortune (la traite des blanches). Arkadin, à la fin du film, veut rejoindre Van Stratten pour le réduire au silence : pour ce faire, il emprunte son avion privé, duquel il saute en plein vol en apprenant que le jeune homme a tout révélé à sa fille – sans même attendre de connaître la réaction de cette dernière. Thompson en arrivait à la conclusion que la vie d'un homme légendaire ne pouvait être rationalisée parce qu'elle était trop complexe ; la conclusion à laquelle parvient Van Stratten est plus cynique : il s'aperçoit qu'en confrontant la légende à la réalité, il peut détruire le sens de l'une et de l'autre.

Nul besoin de la mauvaise prestation de Robert Arden pour comprendre que Van Stratten est, comme l'a dit un critique, un « aventurier sans intérêt ». Seul le stoïcisme dont fait preuve Raina Arkadin dans son acceptation de la vérité sur la vie et la mort de son père permet d'entrevoir une issue à cet univers où règne la folie de l'autodestruction. Raina (que Paola Mori, la femme de Welles, interprète très honorablement) avec sa sénérité, son bon sens et son refus de juger autrui fait preuve d'une maturité dans son amour pour Arkadin que n'ont pas Isabel ni Desdémone dans leur relation respective avec George et Othello. « Il était capable de tout », dit-elle simplement, sans trace de sentimentalité mais avec une sorte de crainte et de respect profond. Le héros wellesien sombre de plus en plus dans le tragique ; son lot est d'autant plus terrible que sa quête d'une dignité perdue ne représente plus une question vitale pour son entourage. Elle n'est plus qu'une auto-analyse solitaire dans une arène remplie de spectateurs impassibles. Il ne se trouve plus de Thompson pour être assez ému et tirer profit de l'exemple ; Raina considère que son père n'aurait pu agir autrement qu'il l'a fait. *La Soif du mal* et *Le Procès* seront encore plus amers, et il faudra attendre *Falstaff* pour voir se profiler quelque compassion à la fin du film.

Bien sûr, il ne faut pas envisager *Mr. Arkadin* en termes de crédibilité des personnages ou des situations. Au contraire, puisque le seul souci d'Arkadin est de dissimuler la vérité pour disparaître à l'ombre de sa légende. Nous retrouvons la stylisation de *Macbeth* et l'atmosphère mélodramatique du *Criminel,* mais sans l'alibi naturaliste cette fois. Le visage d'Arkadin est d'une fausseté criante, et il serait absurde de critiquer Welles pour une quelconque grossièreté du maquillage. Autant critiquer Shakespeare pour n'avoir pas donné à Iago un mobile suffisant. Jamais le nez de Welles n'a paru si artificiel ni ses costumes si bizarres. Il porte toute une série de masques différents et se déguise même à un certain moment du film en Père Noël ! Dans plusieurs scènes, on peut même apercevoir sur sa nuque les attaches de sa perruque, de sa moustache et de sa barbe.

Tout ceci tend à démontrer que la théâtralité du personnage d'Arkadin n'est pas une erreur de la part du réalisateur mais bien l'expression de l'angoisse qui est le plus rivée à son âme. Arkadin n'a plus aucun désir de vivre à partir du moment où l'unique personne à qui il tient, Raina, connaît tout de lui. L'idéalisme juvénile de Welles se retrouvait dans la volonté de Kane de préserver l'esprit de son passé en s'enterrant vivant, tel un pharaon, au milieu des vestiges d'une époque plus heureuse. Au contraire, Arkadin prétend ne se souvenir de rien au-delà d'une certaine nuit de 1927 où il s'est retrouvé à Zurich avec deux cent mille francs suisses en poche. Il loue les services de Van Stratten pour découvrir les dernières traces de son existence passée de façon à pouvoir les effacer totalement. Après quoi, il projette d'effacer Van Stratten de la surface de la terre, celui-ci étant devenu le symbole de ce passé : échouant dans ce projet, il ne lui reste qu'à se suicider. La lucidité représente la crise ultime de l'univers de Welles, dont les héros commencent par se tromper eux-mêmes avant de se donner la mort lorsqu'ils ne peuvent plus dissimuler à quiconque leurs propres illusions. L'élaboration de mythes et l'obsession iconoclaste sont les deux pôles primordiaux et irréconciliables de leur personnalité. Un passage du dialogue définit admirablement la pensée d'Arkadin :

Arkadin : Il vaut mieux ne pas être vu en votre compagnie.

Van Stratten : Ouais — Mais vous l'avez voulu ainsi, n'est-ce pas ?

Arkadin : Je savais où je voulais en venir — et c'est toute la différence entre nous. Dans ce monde, il y a d'abord ceux qui donnent et ceux qui demandent, et puis il y a ceux qui ne veulent

Mr Arkadin, *Robert Arden* dans le rôle de *Guy Von Stratten.*

Mr Arkadin, *Orson Welles* derrière la vitre.

Mr Arkadin, le roi Arkadin et ses fous.

pas donner et ceux qui ne veulent pas demander. Vous, vous avez demandé, mais vous n'avez jamais vraiment su ce que vous vouliez demander. Et maintenant vous ne pouvez plus rien espérer de moi, Van Stratten. Ni argent – ni bien sûr ma fille. Ni même votre peau.

L'égocentrisme étant la seule raison d'être d'Arkadin, il n'habite nulle part en particulier. Bien que la caméra parcoure le monde entier, ce qu'elle voit n'appartient pas à la réalité. Elle nous montre Arkadin, debout et immobile, dans la cabine d'un navire soumis à d'effroyables secousses, mais auquel nous ne connaissons aucune destination. Si Arkadin donne un bal masqué, c'est dans le seul but de cacher son visage jusqu'au moment de mettre bas les masques : le passage rappelle d'ailleurs une scène d'une ironie amère dans *Charlot et le masque de fer*. On y voit Charlot se joindre aux invités d'un bal costumé, vêtu de son habituelle panoplie de vagabond : les invités l'acceptent parce qu'ils croient qu'il est simplement *déguisé* en vagabond. Et c'est donc d'eux qu'on rit. Arkadin, qui est aussi égocentrique et railleur que le vagabond de Charlot, se mêle à la foule de façon à faire habilement reconnaître à tous que chacun d'eux cache le secret de

129

sa nature. Les invités, eux, n'ont pas la même connaissance d'Arkadin. Aux yeux de Van Stratten, il demeure un mystère, non pour des raisons morales ou esthétiques – comme Kane pour Thompson – mais parce que la clé du mystère est tout simplement la clé de l'argent. Ni le sexe ni l'amour n'entrent en ligne de compte dans sa relation avec Raina ; celle-ci n'est qu'une clé de la clé. Une procession de pénitents devant le château ne lui fait pas davantage impression que le désordre profane de la fête. Il prend la moindre excuse pour partir par-ci par-là dans un rondo d'une vaine frénésie.

Welles place en exergue de *Mr. Arkadin* un texte qui explicite son thème dans le film – et qu'on retrouve d'ailleurs dans son œuvre entière : « Un roi très grand et très puissant demanda un jour à un philosophe "Que puis-je te donner de tout ce qui m'appartient ?" et le vieil homme répondit "Tout ce que vous voudrez, sire, sauf votre secret". » Le problème du film est qu'il s'attache à un thème, au détriment d'une cohérence psychologique et de la logique dramatique, mais aussi de l'intérêt spécifique que doit avoir un film. S'il est possible d'accepter le personnage de Van Stratten comme un faire-valoir uni-dimensionnel et Arkadin comme un postulat philosophique, dans le cas où nous voyons dans *Mr. Arkadin* un commentaire que ferait Welles sur sa propre carrière, il devient impossible de considérer le film comme un tout en soi. *Le Vieil Homme et la mer* présente avec une grande clarté les éléments du narcissisme et d'autosatisfaction d'Hemingway qui sous-tendent toute son œuvre mais, l'auteur mettant trop l'accent sur l'anecdote qui est au cœur de l'histoire, celle-ci est noyée sous le poids des divers éléments qui la composent. *Mr. Arkadin* est victime du même genre d'autosatisfaction.

En se libérant du fardeau du naturalisme, Welles a malheureusement perdu de vue, pour une grande part, son thème secondaire ; nous ne pouvons donc guère nous intéresser à Van Stratten ni éprouver de respect pour Arkadin. Bien que le réalisateur attende de nous que nous reconnaissions chez Arkadin de la passion et une certaine noblesse, dans l'intention du moins, le personnage reste trop abstrait pour nous émouvoir véritablement. Welles a dit que « tout l'intérêt de l'histoire est de montrer qu'un homme qui crie à la face du monde "Je suis ainsi et pas autrement", possède une sorte de dignité tragique. C'est une question de dignité, de verve et de courage, mais cela ne justifie en rien ses actes... Arkadin s'est fait tout seul dans un monde

Mr Arkadin, *Robert Arden et Akim Tamiroff.*

corrompu ; il n'essaie pas de changer ce monde, il en est prisonnier. » Malheureusement encore, et comme c'est le cas dans *Le Procès* avec Joseph K., il nous faut fournir un effort afin d'accorder notre sympathie et notre compréhension à Arkadin : or, l'effort gâte notre appréciaton de l'œuvre. Quand Welles nous dit au départ que le suicide d'Arkadin « entraîna presque la chute d'au moins un gouvernement européen », nous enregistrons l'information mais ne sommes nullement convaincus du pouvoir réel d'Arkadin comme nous le ressentions chez Kane.

Il semble que Welles ait besoin d'un contexte réaliste dans lequel faire évoluer ses surhommes. Un surhomme qui n'exerce sa domination sur aucun être humain digne de ce nom n'est plus un surhomme mais un excentrique. Lorsque Suzan quitte Kane, c'est lui qui remplit la fonction qu'elle occupait un instant auparavant, une position de dépendance totale, et le contraste est renversant. Mais quand Arkadin disparaît de l'existence de Raina, nous ne pouvons qu'éprouver, comme Raina, un regret inutile. Le seul prix qu'Arkadin paye pour se mettre en scène est la perte de tout public. Peut-être avons-nous le sentiment d'avoir assisté à un geste extraordinaire : il n'a rien en fait que de sentimental.

Arkadin se donne la mort parce qu'il n'a plus de raison de vivre. Les autres héros de Welles ont quelque motif d'entraîner d'autres êtres dans la mort, mais Arkadin, lui, n'est qu'un exhibitionniste.

10. La Soif du Mal

C'est à la suite d'un malentendu qu'en 1957, après une absence de presque dix ans, Welles retourna à Hollywood y réaliser un nouveau film. La genèse de *La Soif du Mal* a toute l'ironie, la noirceur, la bizarrerie du film lui-même. Charlton Heston avait accepté de jouer dans un mélodrame policier que produirait la Universal, croyant que Welles en serait le réalisateur, alors que ce dernier devait y participer en tant qu'acteur uniquement. C'est alors seulement que la Universal, sans se soucier de la mise au ban de Welles par Hollywood, lui demanda de réaliser le film, s'imaginant peut-être qu'il ne pourrait guère dépasser la mesure, étant donné son sujet. Il accepta avec empressement, mais ne fut pas payé, ni en tant que scénariste ni en tant que metteur en scène. Il ne lut jamais le roman dont s'inspirait le scénario, le *Badge of Evil,* de Whit Masterson, mais trouva le scénario « ridicule », et demanda qu'on l'autorisât à en écrire un autre. Il tourna le film dans l'horrible ville de Venice, en Californie (ce devait être aussi ultérieurement, le cadre du film de Roger Corman, *The Wild Angels*), qu'il peupla d'acteurs et d'actrices « réunis, dit Paule Keal, avec autant de perversité que dans un cauchemar » : Marlène Dietrich joue une tenancière de bordel, Dennis Weaver un réceptionniste de motel obsédé (*Psychose* rappelle d'ailleurs davantage *La Soif du Mal* que le roman de Robert Bloch dont il est censé s'inspirer), Zsa Zsa Gabor la propriétaire d'une boîte de strip-tease, Joseph Cotten un détective, Akim Tamiroff un voyou à la petite semaine, et Mercedes Mac Cambridge le chef d'une bande de blousons noirs. Et, pour finir, Charlton Heston interprète le bon Américain, le *straight man,* flanqué de Janet Leigh, son épouse naïve et frustrée, tandis que Welles lui-même incarne un dur à cuire.

Déconcerté par le résultat, la Universal appela le produit fini *Touch of Evil* (« quel titre ridicule », disait Welles, dont le propre titre avait été refusé) et le distribua sans même le présenter à la presse. André Bazin félicita Welles d'avoir réussi un film satisfaisant à la fois les cinéphiles et le grand public mais, hormis en France, le film ne plut ni aux uns ni à l'autre. Le public pouvait se permettre d'ignorer Welles. En France, où ce genre de choses

La Soif du Mal, *Orson Welles* dans le rôle d'*Hank Quinlan,* le shérif déchu.

ne passe pas inaperçu, on salua *La Soif du Mal* comme un chef-d'œuvre. C'est un film plus riche, plus personnel et (chose non négligeable) plus divertissant que *Le Procès*, qui traite pratiquement du même sujet, avec moins d'émotion et plus d'allégories. C'est également, après *Falstaff*, l'œuvre de Welles la plus mûre, la plus complexe.

Welles revient au thème de la loi après l'avoir traité de façon parodique dans *La Dame de Shanghai*. Dans ce dernier film, comme dans *Le Procès*, il concentre notre attention sur un homme apparemment innocent, victime d'un système juridique inhumain dont les complexités paraissent d'abord absurdes mais se révèlent par la suite découler en toute logique des contradictions du personnage. Welles crée, dans *La Soif du Mal*, un personnage, le chef de police Hank Quinlan, qui utilise ses fonctions officielles pour servir des fins personnelles et malhonnêtes, à l'instar de Kane avec ses journaux ou d'Arkadin avec son empire financier. L'accent ne porte plus ici sur l'innocent qui déjoue la loi, mais sur l'homme, qui est la victime de sa propre fourberie, tel Bannister. Si, dans *Le Procès*, l'accent revient sur l'« innocent », l'humour du film est trop noir et trop abstrait pour entretenir la sympathie qui, seule, nous permettrait de nous identifier à Joseph K. Welles n'autorise pas cette sympathie, qui résulte d'ordinaire de notre perception de la situation pathétique du personnage, parce qu'il fait d'Anthony Perkins un Jospeh K. suffisant, arrogant et cruel – de sorte que notre perception de sa situation reste purement intellectuelle. Quinlan nous est, en revanche, beaucoup plus proche. Il exprime davantage ses émotions, même si Welles évite toute sentimentalité dans le film. Quinlan s'oppose à K. dans la mesure où, si nous condamnons ses actes, nous n'avons pas de mal à accepter l'authenticité de ses émotions ; avec K., il nous fallait transférer nos inquiétudes sur le plan plus abstrait du concept de la responsabilité personnelle. On ne peut guère revoir *Le Procès* sans éprouver moins de plaisir à chaque nouvelle projection (c'est un film que j'admire beaucoup plus que je ne l'aime), tandis que *La Soif du Mal* gagne chaque fois en fascination car on ne cesse d'y découvrir d'autres niveaux d'ironie, de complexité morale ou d'esprit. Quinlan est à la fois le héros wellesien le plus sympathique (jusqu'à Falstaff) et celui dont les agissements sont les plus odieux. Il y a un abîme entre ses intentions et ses actes, et c'est précisément cet abîme qui permet à Welles de nous offrir l'une de ses réflexions philosophiques les plus lucides.

134

Plusieurs années auparavant, la femme de Quinlan a été assassinée par un homme qu'on a libéré par la suite parce que Quinlan, à l'époque jeune recrue dans la police, n'avait pu prouver sa culpabilité. « Dans quelque tranchée boueuse de Belgique en 1917, le bon Dieu a fait la besogne à ma place », raconte Quinlan, qui reste cependant obsédé par cette preuve criante des carences de la loi. Si un meurtrier peut en réchapper faute de preuves, pense-t-il, pourquoi ne pas fabriquer des preuves pour être certain de bien arrêter le coupable ? La théorie de Quinlan est l'illustration parfaite du postulat de Raskolnikoff dans *Crime et Châtiment :* « L'homme "hors du commun" a le droit... au plus profond de soi, de laisser sa conscience faire fi de certains obstacles, mais seulement dans le cas où la mise en pratique de ses idées (qui peuvent être parfois salutaires à l'ensemble de l'humanité) l'exige. Si l'un de ces hommes "hors du commun", pour mettre ses idées en pratique, doit piétiner des cadavres ou patauger dans le sang, alors, à mon avis, il doit s'autoriser à patauger dans le sang – dans les limites, bien sûr, que lui imposent la nature et l'importance de ses idées – j'ai dit ! »

Sa plaque de policier autorise Quinlan à faire des cadavres des hommes qu'il arrête, et nous avons sa parole, et celle de Menzies, son adjoint, qu'il n'a jamais arrêté un innocent. Jusqu'à ce que, par hasard, arrive quelqu'un qui n'est pas de la région – un agent du bureau mexicain des stupéfiants, du nom de Vargas (Charlston Heston) – , ses méthodes n'ont jamais dérangé personne. Quinlan est un homme respectable. Mais Vargas découvre qu'il a fabriqué de fausses preuves pour accabler un vendeur de chaussures mexicain dans une affaire d'assassinat d'un gros bonnet local : il est outré ; et le spectateur aussi car il ne voit que les preuves fabriquées, et n'a aucune raison de croire l'homme coupable. Nous partageons la généreuse sympathie de Vargas pour un homme apparemment innocent, et condamnons sans réserve les agissements de Quinlan. Or, nous apprenons à la fin du film que le vendeur de chaussures a avoué : Quinlan avait donc raison. Pourtant la leçon de morale a déjà été tirée. Le dénouement pose clairement la différence entre loi et lynchage. Comme le disent ceux qui assistent à ses derniers instants, Quinlan était un grand détective, mais un mauvais flic.

Alors qu'un moraliste aurait appuyé sa démonstration en nous montrant un vendeur innocent, Welles nous force à conserver une distance ironique face au problème. Quinlan proclame que c'est sa *jambe estropiée* qui lui dit que l'homme est coupable...

Approche de l'affaire pour le moins scandaleuse, nous en convenons avec Vargas ! Mais il ne faudrait pas croire pour autant que la culpabilité du vendeur efface celle de Quinlan. Welles nous implique insidieusement dans les machinations de Quinlan au cours des extraordinaires scènes d'interrogatoire – une succession de plans-séquences (dont l'un dure près de cinq minutes et comporte plus d'une soixantaine de mouvements de caméra) tournés dans un même appartement. Le Mexicain est stupide, vaniteux et « le meilleur vendeur de chaussures que le magasin ait jamais eu », dit-il de lui-même. Quinlan est brutal, irraisonné et prompt à accabler l'inculpé. De toute évidence, le Mexicain est la victime, Quinlan le bourreau. Pourtant le Mexicain nous indispose par sa bêtise et nous admirons l'insouciance olympienne de son interrogateur. Il est caractéristique de Welles de donner raison au personnage que nous n'aimons pas et tort à celui que nous admirons. Rhétoricien, il nous contraint à reconnaître que les effets sont indépendants des causes ; ou, plus précisément, il sépare la cause et l'effet de manière à nous libérer de toute identification fondée sur le sentiment, et à nous faire voir plus clairement l'effet. Si nous sommes d'avis que le Mexicain est persécuté, il ne nous est pas permis d'arriver à cette conclusion par une sympathie trop évidente pour une noble figure de défi ; notre sympathie doit aller à un bouffon. Si nous condamnons les agissements de Quinlan, c'est un homme de toute évidence talentueux, voire admirable, qu'il nous faut condamner. La parabole du scorpion et de la grenouille est ici très claire. La logique est celle du principe, pas celle du personnage.

Quinlan est mis en valeur par toute une série extraordinaire de personnages antithétiques. Sa folle passion n'est comprise que par son adjoint, Pete Menzies (dont Joseph Calleia donne une interprétation très émouvante). Menzies écoute la confession de Quinlan, dans un bar, comme il l'a fait tant de fois auparavant. Cette confession, il l'accepte, tout en continuant de critiquer Quinlan sur ses méthodes. De même que Leland dans *Citizen Kane*, au nom de l'amour et l'amitié, il a sacrifié son intégrité. Le jeu timoré et mélancolique de Calleia offre un merveilleux contre-point à sa force morale sans cesse grandissante. Après que Quinlan a commis un meurtre, dans sa folle tentative pour faire condamner la femme de Vargas, Menzies prend conscience qu'il doit persuader Quinlan d'admettre la vérité sur lui-même. Il devient, comme Leland, la conscience du héros. Welles a dit de

La Soif du Mal, *Janet Leigh* dans le rôle de *Susan Vargas*.

Quinlan : « Il est le dieu de Menzies. Et parce que Menzies le vénère, le thème véritable du scénario est la trahison, la terrible pulsion qui mène Menzies à trahir son ami. » Menzies s'est abaissé en se faisant le complice de Quinlan – il a baissé les bras – et lorsque, dans sa quête de la justice, Quinlan est amené à commettre l'acte qui a provoqué cette même quête, Menzies comprend, avec une terrible acuité, la folie de ses propres agissements. Welles cristallise toutes les tensions de leur relation dans un puissant syllogisme visuel : il y a longtemps, Quinlan a sauvé la vie de Menzies en recevant une balle qui lui était destinée, d'où la jambe estropiée et le fait qu'il soit obligé de se servir d'une canne (ceci était expliqué dans une scène qui a été coupée mais reste implicite dans le film) ; en laissant sa canne auprès du cadavre de l'homme qu'il a assassiné, Quinlan montre, en quelque sorte, qu'il reconnaît sa culpabilité et met ainsi Menzies au défi de l'affronter ; enfin, lorsqu'il tire sur lui – et qu'à son tour Menzies lui tire dessus –, il lui dit : « C'est la deuxième fois que j'arrête une balle pour toi, mon cher associé. » Et la conclusion revient aux témoins du double assassinat lorsqu'ils regardent le corps de Quinlan :

Schwartz : Tu l'aimais bien, non ?

Tanya : Moins que ce flic-là, celui qui l'a tué ; lui, il l'aimait vraiment.

Vargas est le détenteur des idées saines, le porte-parole des principes justes, en outre il est interprété par un homme qui est l'incarnation même du héros sincère, incorruptible et stoïque. Mais il a la rigidité du pharisien, et il manque d'humour. Dès qu'il se met à tenir tête à Quinlan, nous savons qu'il est du genre bégueule. Face à Quinlan, il est insipide. Si on admire la ténacité avec laquelle il se met à rechercher la preuve de la forfaiture du chef de la police, nous aimons la candeur de ce dernier : « Une vieille dame a ramassé une chaussure dans la rue principale. Cette chaussure, il y avait un pied dedans. On va te faire payer ça, mon gars. » Si nous choisissons le parti de Vargas, nous le faisons en pleine conscience du fait qu'il n'a aucune idée de la beauté morale que recèlent les erreurs du comportement de Quinlan.

L'implication contenue dans le magnifique plan d'ouverture est subtile ; un long travelling ininterrompu mêle à la fois le trajet d'une bombe, placée sous une automobile qui traverse ensuite la frontière, et celui de Vargas et de sa femme qui suivent, à pied, le même itinéraire. Si un même plan-séquence n'avait réuni les deux parcours, on aurait perdu le sentiment de l'inexorable, la tension qui naît de ce que les faits et gestes du couple (ils traversent la frontière : la métaphore ressurgira tout au long du film) sont inextricablement liés au sort de l'automobile. Si Welles nous avait fait passer tour à tour de l'automobile au couple Vargas, il nous aurait donné l'impression d'un parallèle ou d'une opposition : au lieu de quoi il suspend tout jugement moral, jusqu'au moment où l'on voit les jeunes époux s'embrasser – puis, immédiatement après, la voiture qui explose. L'image signifie, bien sûr, la rupture qui s'opère à ce moment dans la relation des époux, mais plus encore une combinaison des deux actions dans laquelle on nous suggère de lire une relation de cause à effet. D'une certaine manière, Welles est en train de dire que ce couple porte en lui les germes de la violence et du meurtre.

De façon étrange, le personnage du film dont l'ambiguïté est la plus dangereuse, celui qui nous inspire le moins confiance, dont les motivations sont les moins claires et dont les desseins nous paraissent les plus flexibles, est l'adjoint au Procureur, Schwartz, qui (interprété par Mort Mills – plus tard le redoutable policier de *Psychose* – arborant un impeccable costume-cravate) est présenté comme le plus normal, le moins corrompu de tous les personnages du film. Sa passivité, son acceptation de Quinlan, nous gênent, mais ce n'est qu'au moment où il demande à ce dernier sur un ton badin : « Qui voyez-vous dans le rôle de l'assassin ? » que son aveuglement nous apparaît clairement. Malgré toute l'autorité morale du personnage de Vargas, nous ne sommes pas sûrs de lui non plus, tant est contrainte et peu subtile la façon dont il traite son épouse, dont la soumission atteint d'ailleurs un degré absurde. Afin de s'occuper de l'affaire, il interrompt leur lune de miel (à Los Robles !), l'envoie dans un motel perdu au milieu du désert et dont les propriétaires se révèlent être la famille Grande, la bande de malfrats la plus dangereuse du côté américain de la frontière. Tout le respect que nous pourrions avoir pour Vargas en tant que représentant des instances supérieures de la justice est sévèrement remis en cause par le peu de cas qu'il fait de la sécurité de sa femme. Il faudra qu'elle soit droguée, (pratiquement) violée par tout un gang de jeunes délinquants, attachée à un lit au-dessus duquel pend un cadavre pour qu'il comprenne qu'il n'a pas assumé toutes ses responsabilités envers elle. Cette dégradation de sa relation conjugale accompagne chez Vargas la violence qui est faite à sa croyance selon laquelle la loi se situe au-dessus des intrigues humaines. L'ordre que représente Vargas, et dans lequel il croit, est artificiel, exsangue. Après l'enlèvement de sa femme, il lui faut se redéfinir lui-même : « Plus de flic qui tienne maintenant, je suis un mari. » Pour lui la logique du personnage existe.

Welles évoque les idéaux de la jeunesse de Quinlan lors d'une rencontre avec Tanya (Marlène Dietrich) ; elle l'a connu à son époque glorieuse, mais ne le reconnaît pas maintenant qu'il a du ventre et qu'il est dans un tel état de décrépitude. Le moment a toute la fragilité et l'évanescence d'une scène à la Sternberg. Quinlan pénètre dans le bordel après avoir entendu le pianola mécanique de Tanya. Cette dernière est l'image même de la corruption, une corruption qu'elle revendique pleinement, sans prendre même le soin d'auréoler sa fonction d'un quelconque romantisme. Tout étourdi par cette rencontre, Quinlan demande à Tanya si elle était en train de lire les cartes, mais elle lui répond prosaïquement, en tirant à petits coups sur son cigare, qu'elle faisait ses comptes. Pourtant, elle est capable de lui révéler, lorsqu'il lui demande de lui prédire son avenir, que celui-ci « est tout derrière lui ». Cependant, le clair-obscur tout en douceur des scènes de bordel contraste avec l'esthétique du reste du film, tout

1851-43

La Soif du Mal, *Marlene Dietrich,* dans le rôle de *Tanya,* le dernier refuge de *Quinlan.*

en ombres montrueuses et en violents mouvements de caméra ; le bordel de Tanya demeure un hâvre de paix où se mêlent les rêves et la comédie. Quinlan lui-même semble se rendre compte que si Tanya lui apporte quelque réconfort, c'est par pure conscience professionnelle et sans aucune visée personnelle. « Si tu te voyais, mon pauvre chou ! lui lance-t-elle. Tu ferais mieux de plus toucher aux bonbons ». Avec un grognement, il lui répond : « Hum, c'est ça ou la gnole. Je peux pas dire que je préfèrerais pas que ce soit ton *chili con carne* qui me fasse engraisser. » Ce qui ne la touche guère, car elle lui rétorque : « Faudrait faire attention, il risquerait d'être trop épicé pour toi. »

Malgré tout son cynisme, on retrouve chez Tanya l'esprit de Mrs. Kane : on entrevoit une existence simple, faite de compassion, et qu'aucun contact avec l'âpreté du réel ne vient contaminer. Mais, tout comme Mrs. Kane, Tanya ne peut offrir au héros le refuge de la stabilité (et ce n'est pas un hasard si les héros de *La Soif du Mal*, du *Procès*, de *Falstaff* ou d'*Une Histoire immortelle* ont tous des prostituées pour compagnes). Tanya ne promettra pas à Quinlan un bonheur imaginaire. Mrs. Kane envoyait Charles à son destin parce qu'elle voulait l'éloigner de son père. Elle n'avait le choix qu'entre deux sortes de damnations, l'une plus honorable que l'autre : elle décidait de le laisser se damner plutôt que de le bercer dans un confort illusoire et suffocant (une leçon qu'Isabel Amberson n'apprendra qu'au prix de sa vie). A cette étape de l'œuvre de Welles, cependant, la femme surgie du passé n'éprouve plus aucun remords à abandonner le héros à son destin. Contrairement à Mrs. Kane, elle n'en souffre pas ; elle observe et comprend, voilà tout. Tanya est présente juste au moment où Quinlan s'effondre, trahi par sa passion et abattu par son unique ami. Son commentaire est pour le moins laconique : « C'était un drôle de bonhomme. Qu'est-ce que ça peut faire ce qu'on dit sur les gens... » La mort de Quinlan n'appelle ni sympathie ni condamnation. Toutes ses contradictions, il les avait résolues dans ses actes mêmes.

Welles, dans *La Soif du Mal,* s'interroge sur le prix à payer lorsqu'on utilise le pouvoir à mauvais escient, quelle que soit la pureté du motif. Vargas, avec grande conviction, une conviction que nous partageons d'ailleurs, dit à Quinlan : « La tâche du policier n'est aisée que dans un état policier. Tout est là, chef. Qui est le patron, le flic ou la loi ? » Pour son interlocuteur cependant, une notion abstraite comme « l'état policier » n'a pas de sens. Quinlan a choisi d'agir en accord avec sa nature sans prendre en compte les conséquences d'une telle décision : et il accepte sans regimber ce qui lui arrive. Le film, avec son rythme débridé et la noirceur hideuse de ce qu'il dépeint, traduit à la perfection l'influence délétère de Quilan sur le monde qui l'entoure. Le héros wellesien, à ce stade, est allé bien plus loin dans le domaine de la réalisation de soi que Kane ou Arkadin. Kane se cramponnait à la boule de verre comme à une image de son passé ; Arkadin invoquait vainement le nom de sa fille. Mais le monde que quitte Quinlan est si répugnant que la corruption du chef de la police dans son irrépressible candeur, paraît une vertu.

11. Le Procès

« Je ne pouvais signer une œuvre qui aurait cautionné la reddition totale de l'être humain. Etant de son côté, je devais le montrer invaincu même à sa dernière heure. »

Welles

De tous les films de Welles, à ce jour, *Le Procès* est le plus difficile à évaluer. J'ai souvent remarqué que l'extrême sévérité de la perspective morale et la pesanteur de son humour nous font hésiter à y voir une réussite complète. Avec la meilleure volonté du monde, on se lasse bien avant la fin, et Welles n'avait peut-être pas tort lorsqu'il a dit un jour qu'on pourrait certainement tirer un bon film du roman de Kafka mais qu'il n'était pas lui-même l'homme de la situation. Néanmoins, le partisan de Welles répugnera à attaquer le film en raison de la hargne avec laquelle la presse anglo-saxonne s'est acharnée sur lui, relayée d'ailleurs par quelques-uns des admirateurs déclarés du réalisateur. *Le Procès* est bâti tout d'une pièce. Welles est parvenu à adopter le récit de Kafka aux exigences de son propre univers moral. La question, pour un critique digne de ce nom, n'est pas de savoir si Welles a fait une adaptation « fidèle » du livre (un tel argument n'est guère pertinent sur le plan esthétique) : il doit se demander plutôt à quel point le style si personnel du réalisateur peut se permettre de traiter les personnages et les thèmes d'un auteur dont le style et le tempérament sont presque radicalement opposés aux siens.

La question ne se pose pas pour les adaptations que Welles a faites, soit de *La Splendeur des Amberson,* de Booth Tarkington, soit d'*Une Histoire immortelle,* d'Isak Dinesen. Dans aucun de ces deux cas on ne ressent de tension irréductible entre le matériau de départ et le produit de Welles, qui trouve dans le premier un apport bénéfique, un élargissement de son horizon. *Mr. Arkadin,* qu'il a tiré de son propre roman, aurait d'ailleurs gagné à établir le genre de distance qui existe lorsqu'un auteur adapte l'œuvre d'un autre. Certains défenseurs de la théorie du cinéma d'auteur ont cependant exagéré l'importance de la nécessité d'une « tension » dans le style d'un réalisateur. La thèse selon laquelle la portée d'une œuvre dépend de la tension créée entre le matériau d'origine et l'attitude que le réalisateur adopte à son égard – par exemple l'approche libérale d'un matériau à tonalité conservatrice par Otto Preminger dans *Advice and Consent* ou l'approche conservatrice d'un matériau à tonalité libérale par John Ford dans *Cheyennes* –, cette thèse, si elle était poussée à l'extrême, voudrait que l'œuvre la plus riche soit celle qui présente une totale disparité entre le style et le matériau – dans le genre de ce qu'on obtiendrait si John Ford tournait *A Hard Day's Night* par exemple. Naturellement, rares seraient ceux qui iraient aussi loin, mais il n'en reste pas moins qu'il est dangereux de voir en ce genre de « tension » une fin en soi quand elle ne doit être qu'une partie, qu'une des composantes de l'œuvre. De sa propre initiative, Welles n'aurait sans doute pas étoffé de cette manière la satire journalistique dans *Citizen Kane,* pas plus qu'il n'aurait fait preuve, dans *La Splendeur des Amberson,* d'une telle ambivalence envers le phénomène de l'ascension sociale, mais sa conception du monde sait intégrer ces vues sans qu'on ressente aucune discordance. Lorsqu'on analyse les sources d'un auteur, il s'agit moins de relever tout ce que celui-ci a éliminé – recherche d'un intérêt mineur quand l'adaptation est un succès – que de prendre en compte tout ce qu'il a conservé et s'est donc approprié.

Le roman de Kafka est avant tout comique. La vie tranquille de ses héros est brisée par une force inexplicablement malveillante, qui se met à les harceler sans raison aucune ; il s'agit d'une parodie acerbe de la doctrine du péché original. Châtiment et culpabilité existent sans qu'on en connaisse les causes. Le péché est donné comme condition préalable à l'existence. Les héros de Kafka n'ont pas de visage ; ils n'ont ni pouvoir, ni importance (hormis un vague statut que leur confère le système bureaucratique) ni, en fin de compte, de dignité. Ils sont comiques et pathétiques plutôt que tragiques. A la fin du *Procès,* K. se rend compte qu'il meurt « comme un chien ». Le tragique, chez Kafka, traverse toute l'existence : c'est une sorte de logique implacable, qui se révèle dans les gestes les plus banals, et, se propageant à

Orson Welles, pendant le tournage du Procès.

travers un dédale sans fin de polémiques du quotidien, aboutit inévitablement à la mort du héros. K. se soumet au bourreau, incapable de se donner la mort lui-même parce qu'il reconnaîtrait, ce faisant, l'existence de son libre arbitre. « La responsabilité de cet ultime échec, commente le narrateur, incombe entièrement à celui-là même qui ne lui a pas laissé la force d'accomplir cet acte. » Kafka, dit-on, riait en son for intérieur lorsqu'il lisait des passages du *Procès* à des amis. Si cela nous paraît étrange, il faut nous rappeler que le narrateur tout-puissant dans le livre est lui-même l'auteur de la tragédie. La désolation de l'univers kafkaïen n'est autre que le résultat d'un acte de volonté de la part de son créateur – non pas Dieu, mais Kafka. Les êtres sans défense qu'il tient sous son contrôle interprètent le drame de son orgueil immodéré. Qui d'autre que Kafka empêche le héros de trouver la force d'agir selon sa volonté ? Qui d'autre que Kafka refuse de donner un sens à la vie de ses personnages et d'envisager la possibilité qu'il existe un ordre supérieur ? Ayons pitié de ses personnages – car leur impuissance, dont ils ont tendance à se sentir coupables, n'est que l'effet comique de l'action, de leur créateur, érigeant la défaite en principe universel.

La position de Welles, bien sûr, est diamétralement opposée. En tant que créateur, il soumet également ses héros à un code moral : cependant, il punit, non pas leur ignorance, mais leur violation des principes qui régissent ce code. Il les contraint à choisir entre le libre-arbitre de l'homme responsable et la morgue de qui se croit tout-puissant. « Tous les personnages que j'ai interprétés sont des variantes de Faust, a déclaré Welles. Je déteste toutes les formes de Faust, car je pense qu'il est impossible pour l'homme d'être grand sans admettre qu'il y a plus grand que lui – la loi, Dieu ou l'art ; le contraire est impossible. Si j'éprouve une quelconque sympathie pour ce genre de personnages, c'est sur le plan humain, pas sur le plan moral. » Etant donné le caractère apparemment irréductible de l'opposition entre le texte de Kafka et le point de vue philosophique de Welles, il est naturel d'imaginer qu'il existera une tension dialectique particulièrement forte entre les actions des personnages d'une part et l'interprétation qu'en donnera le réalisateur d'autre part. Si nous devons continuer à nous pencher sur le rapport Welles/Kafka – alors qu'il nous est possible d'ignorer le rapport Welles/Tarkington et de nous intéresser uniquement au premier – c'est que le récit progresse, moins par amplification émotionnelle qu'au moyen d'effets rhétoriques. En prenant pour base *Le Procès*, Welles a

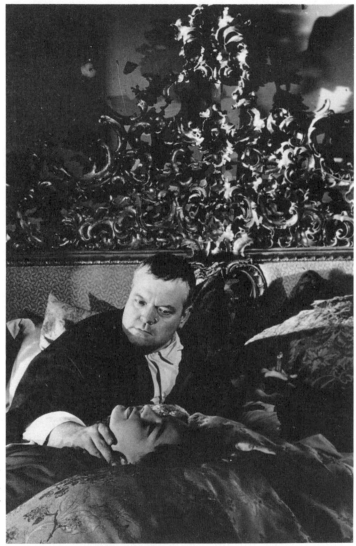

Le Procès, *Orson Welles et Romy Schneider.*

choisi de soumettre la stabilité de son propre ordre moral au défi constant du thème kafkaïen de l'échec prédestiné.

L'égocentrisme du style visuel de Welles est également à l'opposé de la représentation kafkaïenne. De tous les cinéastes, c'est Alfred Hitchock qui se rapproche le plus de Kafka. Son style a la même lucidité et la même logique syntaxique, la même méthode et la même simplicité opposées ironiquement au chaos du monde – avec en plus un sens du tragique qui est peut-être dû à son catholicisme sceptique. Bien qu'il lui manque l'étourdissant humour de *La Mort au Trousses, Le Faux Coupable* – « ébauche » de ce dernier film – qu'Hitchcock a tiré d'un fait divers dont la situation rappelait celle du *Procès,* pourrait illustrer, point par point, la méthode à suivre pour filmer l'atmosphère de cauchemar de l'univers kafkaïen. Kafka décrit d'abord chacun de ses décors en termes spatio-temporels naturalistes avant d'introduire entre les personnages un système relationnel absurde, à cause duquel l'apparente logique spatio-temporelle est ravalée au rang de simple parodie d'un ordre universel stable. Welles, quant à lui, désorganise complètement le système spatio-temporel en juxtaposant de façon flagrante des lieux tout à fait disparates et en coupant systématiquement l'image au moment où K. entre ou sort de l'un de ces décors que rien ne relie entre eux, sinon ce procédé : ainsi l'univers est entièrement fonction des faits et gestes de K. Le dénouement utilise la notion d'espace d'une manière que Welles avait pensé exprimer plus schématiquement avant qu'on ne lui attribue comme unique décor une gigantesque gare abandonnée. « Telle que je l'avais envisagée, la mise en scène utilisait des décors qui disparaissaient progressivement. J'aurais réduit peu à peu le nombre des éléments réalistes, de manière à ce que le public s'en aperçoive, jusqu'à ce que la scène soit réduite à un espace libre et vide, comme si tout avait été dissous. » Dans les dernières images du *Procès*, les formes baroques du *continuum* espace-temps se sont dépouillées jusqu'à n'être plus qu'une ligne mince séparant la terre nue et le ciel gris : le combat de Joseph K. est effectivement installé au centre de l'univers.

Il nous faut maintenant, pour saisir dans toute sa complexité le point de vue de Welles, analyser la nature exacte de sa rhétorique. Sa présence, à la fois comme auteur et en tant qu'interprète de l'avocat, est d'une importance capitale. Le personnage de l'avocat est plus développé dans le film que dans le livre, où il a surtout pour fonction de détourner le héros de son désir de résoudre son problème d'une façon satisfaisante. Dans le film, l'interprétation de Welles fait au contraire du personnage l'incarnation même de la tentation contre laquelle K. doit lutter. Son importance nouvelle est soulignée par sa réapparition dans la cathédrale, à la fin, où il prend, durant l'interrogatoire, la fonction que Kafka avait assignée au prêtre. K. a l'occasion de prendre toute la mesure de ce qu'est le désespoir absolu lorsqu'il constate la monstrueuse immobilité – on pourrait presque dire l'absence d'identité spirituelle – dans laquelle s'est retranché l'avocat, et l'attitude absolument servile de son client Block (qui se comporte « comme un chien »). Comme Kurtz dans *Au Cœur des Ténèbres,* l'Avocat présente au héros une vision du chaos qui rend possible sa victoire morale.

Rares sont les films qui ont instauré ce type de rapport rhétorique avec une autre œuvre ; parmi ceux qui l'ont fait, on peut citer *Rio Bravo* (par rapport à *High Noon*) et *Le Mépris* (par rapport à *l'Odyssée*). Welles n'attend pas de son public qu'il ait lu le roman de Kafka ; s'il le faisait, son film se situerait dans le domaine de la critique plutôt que dans celui de l'expression artistique pure, or Welles n'est pas polémique. Au contraire, il n'a de cesse de souligner les divergences qui existent entre le point de vue philosophique du matériau d'origine et sa propre position. Ceci est particulièrement clair dans la scène de la cathédrale : Welles fait réciter par l'avocat la parabole de la Loi – ce conte de l'homme qui attend sa vie entière devant la grande porte, fermée et derrière laquelle tout est silence – et fait intervenir K., qui interrompt la récitation pour devenir le porte-parole du réalisateur dans une formidable affirmation de la responsabilité individuelle. Le dialogue qui suit, presque entièrement écrit par Welles, cristallise le conflit dans l'esprit de K. et précipite sa fin. Au vu de la place privilégiée qu'il occupe dans le récit, il mérite d'être cité en son entier :

L'avocat : Certains commentateurs ont fait remarquer que l'homme était venu devant la porte de son plein gré.

K. : Et on est censé croire à tout ça ? Que tout ça c'est vrai ?

L'avocat : Il n'est pas besoin de croire que tout est vrai. Seulement ce qui est nécessaire.

K. : Seigneur ! Quelle conclusion ! Vous transformez le mensonge en principe universel.

L'avocat : Vous essayez de défier la cour par un geste aussi fou... espérez-vous pouvoir plaider l'aliénation mentale ? C'est ce à quoi vous vouliez en venir en commençant par vous prétendre victime d'une sorte de conspiration.

K. : C'est bien un symptôme de folie, n'est-ce pas ?

L'avocat : Délire de persécution...

K. : Délire ?

L'avocat : Eh bien ?

K. : Je ne prétends pas être un martyre, non.

L'avocat : Même pas... une victime de la société ?

K. : Je suis un membre de cette société.

L'avocat : Vous essayez de convaincre la cour que vous êtes mentalement irresponsable.

K. : Je pense que c'est ce que la cour veut me faire croire. Oui, voilà où est la conspiration – dans cette volonté de nous convaincre que le monde entier est fou ... informe, insensé, absurde ! Voilà le sale tour qu'on veut nous jouer. C'est pourquoi j'ai perdu ma cause. Et alors ? Vous ... vous perdez aussi. Tout est perdu. Perdu ... Eh bien ? L'univers entier est-il pour autant condamné à la folie ?

Entre un prêtre.

Le prêtre : Ne comprenez-vous donc pas ?

K. : Mais si. Je suis responsable.

Le prêtre : Mon fils...

K. : Je ne suis pas votre fils.

La position de K. et celle de Welles sont semblables – à savoir que l'individu a le pouvoir de prouver l'existence d'un ordre supérieur – à ceci près cependant que Welles ne souscrit pas à l'arrogante volonté de destruction qui caractérise le geste final de K. Chez Welles, la société est une projection de la conscience du héros ; une image très significative nous montre les bourreaux de K. faisant leur ultime apparition émergeant derrière le corps de K. sur les marches de la cathédrale. Mais le héros, dans le film, ne laisse rien lui survivre. Dans un geste extatique d'un égoïsme pur, il renvoie la dynamite de ses bourreaux vers un paysage vide, où elle explose : l'explosion se répercute jusqu'à culminer dans un plan fixe où l'on voit un champignon atomique ; après quoi, on nous montre un faisceau lumineux qui, malgré son apparence surnaturelle, se révèle émaner d'un projecteur ; l'auteur, ainsi, se démarque par rapport à la quatrième dimension. En décidant de devenir l'agent de la destruction universelle, le héros, quant à lui, affirme sa dignité, mais marque aussi les limites de sa position morale. La désolation du paysage final du *Procès* surpasse encore celle de *La Soif du Mal*. Dans le même moment où il prouve qu'il existe un ordre universel, K. prétend juger l'univers. Il est bon qu'il prenne conscience de sa responsabilité personnelle dans le cadre de ses actes privés, mais en étendant cette responsabilité à l'univers entier, il franchit la limite qui sépare l'homme du surhomme.

Le défi de K. rachète la nature informe du monde qui l'entoure en posant l'homme comme maître de sa propre destinée ; cependant, il crée une confusion nouvelle encore plus mortelle, celle de la puissance incontrôlée du moi. Kafka nous réconforte en postulant l'existence d'un héros sympathique, bienveillant et amorphe. S'il est vaincu, on nous accorde au moins la possibilité de le considérer comme une victime innocente. Nous ne pouvons le juger coupable que si nous le tenons pour un agent actif de la destruction, ce qu'il est seulement de manière comique pour Kafka, dans la mesure où celui-ci ne lui donne pas plus d'autonomie qu'à un rat s'évertuant à sortir instinctivement d'un labyrinthe. Selon Welles, K. est coupable surtout parce qu'il a accepté de faire partie d'un système qui annihile le libre arbitre. L'intelligente interprétation du personnage par Anthony Perkins nous le montre en effet comme un bureaucrate orgueilleux, stupidement imbu de sa place de directeur adjoint dans son service, et punissant ses subordonnés avec délices. L'ironie finale, pourtant, veut que, suivant les paroles mêmes de Welles, K. ne soit pas « coupable en tant qu'accusé, mais qu'il soit coupable tout de même ». Sa faute, en dernière analyse, est le péché d'orgueil. Il est significatif de l'assombrissement de l'horizon philosphique de Welles que le héros, jusque-là sans défense, utilise, immédiatement après l'avoir découverte, sa nouvelle force morale avec des visées bien plus diaboliques que n'avaient Macbeth ou Arkadin. Les agissements de Macbeth entraînaient la chute d'une dynastie, ceux d'Arkadin compromettaient sérieusement plusieurs gouvernements européens ; mais il revient à K., cet être insignifiant, naïf, infantile et qui ne cesse geindre sur son sort, de porter en lui la destruction de l'univers.

12. Falstaff.

Falstaff est le chef-d'œuvre de Welles, l'aboutissement le plus complet, le plus parfait de tout son travail depuis *Citizen Kane,* qui avait déjà lui-même marqué l'aboutissement d'un première période. Dans sa jeunesse, Welles avait été obsédé par le problème de la construction, et l'avait admirablement résolu en adoptant un style qui enfermait le héros, apparemment tout-puissant, dans une sorte de carcan d'ironie dont il était presque entièrement inconscient. Notre distance par rapport aux personnages ne pouvait guère être plus grande ; et cette mise à distance, même si elle était parfaitement adaptée au récit d'une omnipotence puérile, était peut-être la preuve de l'immaturité artistique de Welles : mis dans l'obligation de se définir, ce dernier se forgea un style qui prouvait le caractère illusoire de toute définition. Dans *Falstaff*, le réalisateur a fondu son propre point de vue et celui de son héros, de sorte que l'émotion se transmet sans détour au spectateur. Le style du film, tout en étant aussi réfléchi et maîtrisé que dans *Citizen Kane*, ne réclame plus toute notre attention. Rien ici qui corresponde au jeu de miroirs du premier film ; il y a bien la séquence de la bataille, l'une des plus grandes réussites de l'histoire du cinéma dans la réalisation d'une scène d'action – au demeurant construite sur un mode parfaitement rhétorique et avec presque autant de rigueur qu'une fugue –, cependant, elle ne se présente pas comme un exercice de style, et le spectateur la ressent comme une irrésistible expérience physique.

Je crois personnellement qu'on retrouve dans *Falstaff* le même phénomène que chez Beethoven, quand celui-ci a remplacé les instruments par des voix dans la neuvième symphonie : Welles a dépassé les limites de ses instruments (la caméra et la table de montage), et a tout remis entre les mains des instruments humains (les acteurs). Lorsqu'on lui dit que personne ne pourrait jamais chanter les notes qu'il avait écrites, Beethoven répliqua que ce n'était pas son affaire. Welles est plus pragmatique – devant lui-même faire coïncider le travail des acteurs avec ses propres fins – mais on retrouve chez lui la même jubilation rhapsodique quand il s'immerge dans le jeu des visages et des voix. Comme Pierre Dubœuf l'a noté : « L'inquiétude qu'il éprouve devant son propre visage est la même que celle de Rembrandt, et ce n'est pas un hasard s'il y découvre des harmonies nouvelles, aux accents moins brillants mais plus humains, qu'il substitue aux éclats fulgurants de jadis. » Nous sentons ici, comme dans *La Splendeur des Amberson,* que Welles rejette le masque d'une stylisation affectée au profit de l'authenticité d'un style plus détendu et plus sensuel. La différence essentielle cependant est que, dans *La Splendeur des Amberson,* Welles se cachait derrière la caméra et laissait à d'autres le soin d'exprimer ses opinions, tandis qu'ici, énorme et plein d'allant, il surgit devant nos yeux, plus véridique, au sens propre et au figuré, qu'il ne l'a jamais été.

Orson Welles dans le rôle de *Falstaff* « sa bonté est comme du pain et du vin ».

Il est donc normal que l'histoire qu'il nous raconte dans le film soit celle d'un homme entièrement candide, un homme dont le manque absolu d'hypocrisie, lorsqu'il doit faire face aux exigences de responsabilité et d'abnégation qu'impose le monde, devient la cause même de son anéantissement. Voici comment, au cours du tournage, Welles présentait ses intentions : « Visuellement parlant *Falstaff* devrait être très simple, parce que c'est l'aspect humain de l'histoire qui compte avant tout... Cette histoire de Falstaff est la meilleure qu'on puisse trouver chez Shakespeare – non pas la meilleure pièce, mais la meilleure histoire... Tout ce qui comptera dans le film devra se lire sur les visages ; on devra lire sur eux toute l'histoire de cet univers dont je parlais. Ce sera, en terme de gros plans, je crois, ma plus grande contribution au cinéma... Une histoire de ce genre exige des gros plans ; dès qu'on prend du recul et qu'on se détache des visages, on ne voit plus que des personnages en costumes d'époque et une foule d'acteurs au premier plan. Plus on se rapproche d'un visage, plus il gagne en universalité. *Falstaff* est une comédie noire, le récit d'une amitié trahie. » Lorsque le film fut terminé, Welles ajouta : « C'est *La Splendeur des Amberson* et *Falstaff* qui se rapprochent le plus du genre de films que je voudrais tourner... dans le cinéma, ce que je recherche le plus aujourd'hui, ce ne sont pas les effets spectaculaires, ni les prouesses techniques, mais une plus grande unité de formes, de contours... Voilà mon but, ce que j'espère réussir. Si j'y parviens, c'est que j'atteins ma maturité artistique. Si j'échoue, c'est que je suis sur la pente descendante, comprenez-vous ? »

Le lecteur ne devrait pas imaginer d'après ces quelques lignes que *Falstaff* a la fluidité et la nonchalance trompeuse d'un film de Renoir, loin de là. Quand il est question de style « simple », il faut entendre que la caméra est au service des acteurs, et non l'inverse (comme dans *Le Procès* par exemple). La maturité d'un metteur en scène se traduit par le fait que son œuvre gagne en transparence, se fait plus directe, et permet un investissement plus grand du spectateur ; comme l'a dit Truffaut, ce qui est devant la caméra devient plus important. Une approche plus « directe », dans l'univers extrêmement rhétorique des films de Welles, ne signifie pas que le fond soit simplifié, mais que la forme, elle, l'est ... nous ressentons plus intensément, avec davantage de passion, les questions traitées. Il suffit de comparer le moment le plus fort de *Citizen Kane,* lorsque Kane gifle Susan, au moment le plus fort – bien plus discret – de *Falstaff,* quand Hal bannit le héros et que le vieillard murmure : « Maître Shallow, je vous dois mille livres ». Si la scène de *Citizen Kane* est palpitante, sa théâtralité tend à creuser l'abîme qui existe entre les émotions de Kane et la perception que nous en avons. Si le film a un défaut, celui-ci réside dans sa froideur relative : notre distance par rapport au héros est si grande que son combat peut ne susciter en nous que de la fascination. Peut-être *Citizen Kane* est-il trop « mathématique » ; son vrai héros, peut-on dire, n'est pas Kane mais Welles lui-même. Dans *Falstaff*, au contraire, il n'existe en fin de compte aucune distance entre le réalisateur-interprète et le personnage qu'il incarne ; les gros plans alternés sur les visages de Falstaff et de Hal sont chargés d'une émotion bien plus grande que le geste spectaculaire de Kane. Dans un cas on exprime une émotion, dans l'autre on la fait partager.

Aussi excessives qu'elles soient, les libertés que Welles prend à l'égard du texte nous échappent la plupart du temps, non seulement parce qu'il s'est très habilement approprié les thèmes de Shakespeare, mais encore parce que l'importance qu'il confère au personnage de Falstaff lui permet de mieux fixer notre attention sur le drame, alors que les considérations historiques de Shakespeare ont tendance à la disperser. Le film s'inspire des deux *Henri IV*, mais aussi de *Henry V*, des *Joyeuses Commères de Windsor* et de *Richard II* ; en outre, un passage est tiré des *Chroniques* de Holinshed. Il semble que Shakespeare ait d'abord vu en Falstaff un faire-valoir comique relativement simple du prince-roi Hotspur, dans la première partie de *Henry IV* (comme le suggère l'alternance assez maladroite des scènes historiques et de scènes comiques) : il aurait ensuite découvert peu à peu la profondeur du personnage, qui allait éclipser le drame du personnage royal. Dans la seconde partie de *Henry IV*, le dramaturge a pleinement saisi tout le sens de son personnage : les scènes de Falstaff sont bien plus longues et la structure de la pièce est infiniment plus souple – tandis que la prééminence qui est accordée au personnage, loin de déséquilibrer la construction de cette deuxième partie, est pleinement justifiée par la crise que connaît sa relation avec le prince. La grande scène de la taverne nous a, bien sûr, préparés au renvoi de Falstaff, mais dans la seconde partie, l'image de celui-ci prend une certaine gravité, aux yeux de Hal parce que Falstaff représente une menace pour la dignité royale, et aussi aux yeux de Falstaff lui-même. Se multiplient alors les images de vieillissement, de maladie, de mort, et les dénonciations joyeuses du code de l'honneur cèdent la place à une méditation sobre, plus raisonnée (et plus spirituelle). Shakespeare procure aussi, en ce point du récit, quatre nouveaux compagnons à Falstaff – Pistolet, Dolly Beaux Draps, Benêt et Silence – , comme pour compenser l'absorption de plus en plus grande de Hal en lui-même. « Dans la première partie de la pièce, explique Welles, l'intrigue secondaire ayant trait à Hotspur empêche que les relations du triangle formé par le roi, son fils et Falstaff (qui lui est une sorte de père adoptif) ne prennent un importance trop grande. Mais dans mon film, où je veux raconter principalement l'histoire de ce triangle, apparaissent forcément des valeurs qui ne pouvaient exister dans le texte original étant donné la façon dont ces relations y étaient décrites. Le drame est ici tout à fait différent. »

A travers la décision de Welles de donner à Falstaff le rôle principal et à Hal le rôle secondaire se dessine, à la fois une volonté de mise à distance ironique du concept de *roi chrétien* (aussi étranger à Welles qu'il est central chez Shakespeare et, dans une transposition moderne, chez John Ford, dont Welles s'inspire d'ailleurs beaucoup dans ce film ont le désir d'accentuer la *bonté* essentielle du personnage, la noblesse tragique de ces qualités-mêmes qui le mèneront irrémédiablement à sa perte – comme le peu de cas qu'il fait de sa santé ou de sa réserve lorsqu'il est en société. Lorsque Hal bannit Falstaff, chez Shakespeare, il ne prend pas une décision tragique ; son acte n'est que le sceau de sa maturité morale, le signe de cette « noble conversion » dont il prend « le monde incrédule » à témoin. La guerre qu'il partira mener contre la France sous le nom de Henry V, et que Shakespeare s'efforce de justifier dans la pièce comme découlant d'un droit divin et ancestral, se transforme dans *Falstaff* en une entreprise folle et absolument gratuite. Lorsqu'on voit Hal pour la première fois après la cérémonie du couronnement, il proclame la guerre sans aucune raison apparente, sinon ce cri d'une sentinelle : « Il n'est pas roi d'Angleterre, celui qui n'est pas aussi roi de France ». Autrement dit, dès qu'il accepte ses responsabilités, Hal, à l'instar de K. dans *Le Procès*, en use pour se livrer à une entreprise de destruction aveugle. A la différence de Shakespeare, Welles ne fait pas découler la décision de Hal d'une puissance supérieure mais de sa seule volonté. Welles nous montre un Hal tragique, à l'image de son père, qui avait usurpé le trône de Richard et avait de ce fait été constamment en butte à la rebellion.

Hal est l'héritier légitime de la couronne par droit de naissance, c'est pourquoi il est également dans son droit, selon Shakespeare, lorsqu'il envisage de se bâtir un empire. Mais pour Welles (et pour Shakespeare aussi, dans une moindre mesure), Hal perd le meilleur de lui-même en rejetant Falstaff et tout ce qu'il représente. Le bannissement est inévitable s'il accepte d'accéder au pouvoir, mais le prix à payer pour dominer le monde est l'asservissement de sa faculté morale, ce que Welles nous donne à comprendre par le caractère arbitraire de la première décision que prend Hal après le banissement. Les dernières paroles que Hal adresse à Falstaff ont un sens entièrement différent de celui qu'elles ont dans la pièce : « Je me suis réveillé et j'abhorre mon rêve... Ne crois pas que je sois encore ce que j'étais... J'ai renvoyé cet autre moi-même. » Les dernières paroles qu'il prononce dans le film montrent à quel point il s'est trompé lui-même : « Nous jugeons que c'est un excès de vin qui aura eu raison de lui. » Welles maintient pendant quelques longues secondes un plan fixe sur la pose du nouveau roi, plongé dans ses pensées et troublé, puis nous montre dans le plan suivant Poins mangeant une pomme (perte de l'innocence) et le cercueil de Falstaff.

Pour Shakespeare, Falstaff reste primordialement un personnage comique parce que, tout innocent qu'il est, il met en danger le pouvoir royal et doit être sacrifié sans conteste aux exigences d'une instance supérieure. Pour Welles, cette instance supérieure n'est autre que le film ; Hal devient la victime de sa propre volonté, de même qu'il a sacrifié Falstaff à cette dernière : il détruit tout autant l'innocence que Falstaff la royauté. Welles nous livre d'ailleurs un trait étrange de la personnalité de Falstaff, que certains exégètes de Shakespeare ont perçu : quoiqu'innocent, il provoque la force qui va le détruire. C'est pourquoi il est impossible d'en faire un simple personnage comique. Si nous pouvons penser que *Falstaff* est la « tragédie » de Falstaff (et c'est tout à fait justifié même si les choix moraux de celui-ci sont purement instinctifs), c'est peut-être davantage au sens aristotélicien du terme « tragédie » qu'à son sens shakespearien que nous nous référons. Welles parle de Falstaff avec profondeur : « Je crois que la difficulté du rôle de Falstaff réside en ce qu'il est, dans toute la littérature dramatique, l'archétype le plus achevé de l'homme bon. Ses fautes sont infimes, et il sait en tirer d'énormes plaisanteries ! Cependant sa bonté est comme le pain, ou le vin... Voilà, pourquoi j'ai perdu de vue sa dimension comique. Plus j'entrais dans le personnage, plus il me semblait interpréter l'archétype shakespearien de l'homme bon et pur. »

Nous ne percevons pas en Falstaff un homme essentiellement

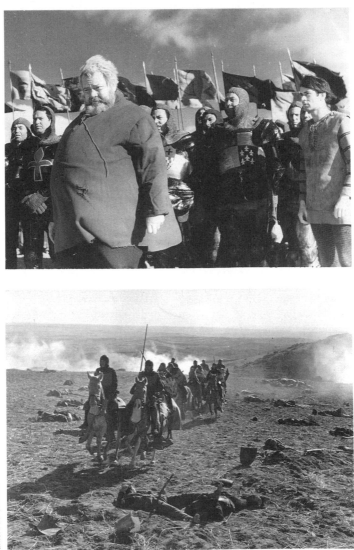

Falstaff, la bataille de Shrewsbury, le début et la fin...

noble, doué d'extraordinaires qualités, mais victime d'un grave défaut de sa nature, qui serait en même temps la source de sa noblesse ; ce que nous percevons de lui est plus subtil, moins absolu ; c'est un homme doué d'extraordinaires qualités, qui le détruisent parce qu'il ne voit pas combien elles sont incompatibles avec la nature du monde. Sa cécité morale (c'est-à-dire sa candeur enfantine, dont il use parfois avec malice) est son seul défaut. De même qu'Othello était incapable de saisir la portée réelle du pouvoir de Iago, Falstaff n'imagine pas que Hal pourrait rejeter le don qu'il lui fait de son amour inconditionnel. A.C. Bradley dit d'Othello que nous partageons son « mépris triomphant des liens de la chair et de l'exiguïté de toutes les existences qui doivent lui survivre. » Falstaff, pourrait-on dire, fait montre d'une estime absolue pour la chair triomphante et d'un respect spontané pour toutes les existences qui l'entourent.

La ressemblance de Hal avec Iago n'est pas fortuite. Tout comme son père a soigneusement masqué l'illégitimité de son accession au trône par des actions qui en proclamaient la légitimité – écrasant la rebellion, par exemple – , Hal s'astreint à l'hypocrisie. Welles souligne dès le début combien est fausse son attitude dans les parties de plaisir auxquelles ils participent avec Falstaff : elles sont, pour lui, un moyen, à la fois d'oublier la crise morale qu'il va devoir affronter, et de mettre à l'épreuve sa résistance aux tentations de l'instinct. On retrouve des échos des paroles d'Iago (« Je ne suis pas ce que je suis ») dès le premier monologue de Hal, qu'il récite tandis qu'on voit Falstaff méditer vaguement à l'arrière-plan : « ... Ainsi j'imite le soleil,/ qui consent que les bas nuages insalubres/ accablent sa beauté et en privent le monde ! » ; et jusqu'à la fin, lorsqu'il lance à un Falstaff désemparé et interdit : « Ne crois pas que je sois encore ce que j'étais. » La pathétique et l'ironie du film naissent pour une grande part de l'inversion des rôles entre le jeune homme et le vieillard. L'innocence de Falstaff est un merveilleux défi que lance Welles. Jeune homme, il avait interprété à la fois Falstaff et Richard III dans *Five Kings,* comme s'il avait désiré donner au personnage une double nature à la Docteur Jekyll et Mr Hyde. A présent, âgé lui-même et revenant au rôle de Falstaff, il met en accusation, dans les constantes protestations de jeunesse de son personnage, non seulement la répression contre nature que Hal fait subir à sa propre jeunesse, mais aussi la mort elle-même. Bien davantage que chez Shakespeare, le spectacle d'un vieillard guidant un jeune homme saturnien dans ses frasques nous apparaît comme un défi amer lancé à la vieillesse et à la logique du destin. Falstaff s'intéresse à Hal parce qu'étant prince, celui-ci est le moins à même de rejeter ses responsabilités et de renoncer à l'attrait du pouvoir : quand échoue cette suprême épreuve à laquelle est soumise sa bonté, Falstaff échoue aussi. Ici l'héroïsme réside dans la disproportion entre la grandeur de la tâche et la pauvreté des moyens.

La chute d'un héros tragique, dit Bradley, laisse d'abord et toujours un sentiment de *désolation*. C'est bien de la désolation que nous ressentons lorsque Welles, à la fin du film, nous montre l'énorme cercueil de Falstaff emporté lentement sur une charrette à travers un paysage dénudé dont l'horizon n'est interrompu que par la silhouette d'un paisible château ; on entend alors la voix du narrateur dire de Hal : « Il était d'une grande majesté celui qui dans la vie et dans la mort fut un exemple pour les princes, un symbole de vertu, et dont la renommée s'étendait au loin. » Nous savons que les paroles du narrateur reflètent la réalité (ces paroles furent prononcées à propos du véritable Henry V, qui fit exécuter le modèle de Falstaff, Sir John Oldcastle, pour trahison), mais il est difficile de ne pas ressentir le tragique et l'ironie d'une scène où l'on voit toute l'humanité qui reste à Hal emportée sur une charrette. Ses expressions et son port durant le discours du bannissement ont cette grandeur modeste et cette horreur douloureuse qui étaient devenues chez son père une seconde nature après qu'il eut mené une existence d'intrigues : quand il se détourne de Falstaff pour pénétrer dans une composition de bannières et d'écussons, il n'est plus qu'une silhouette qui longe, s'amenuisant, les couloirs de l'histoire qui se répètent à l'infini. Si nous ne parvenons jamais à prendre Hal en sympathie, si nous trouvons, à l'instar de Welles, qu'il y a quelque chose « du lynx dans son regard et d'intéressé dans son comportement », même lorsqu'il accède au trône, nous ne cessons jamais de l'admirer, malgré tout le tragique de sa folie.

La merveilleuse prestation de Keith Baxter – surpassée seulement par celle de John Gielgud, qui interprète un incomparble Henry IV dans ce film où la presque totalité des rôles est remplie à la perfection – nous fait voir un personnage digne et lumineux, même quand il est le plus cruel et le plus vain. L'intuition de Welles l'a servi ici : la nature antipathique de K. est presque fatale au *Procès*, et il fallait doter Hal – qui ressemble à Joseph K. par son orgueil – de compassion et d'une certaine dignité pour justifier l'attention que Falstaff lui porte et pour pouvoir le montrer tout à fait conscient de ce qu'il rejette quand il bannit Falstaff. A plusieurs moments, Hal nous remplit d'horreur : lorsqu'il se détourne de Falstaff et murmure, comme s'il récitait une prière : « En dernier lieu, mets l'homme à l'épreuve », ou dans son humilité tout enfantine quand son père paraît, tel un spectre, et réclame sa couronne ; et surtout, dans ce silence tout en puissance et en sérénité quand, après la bataille, il jette son pot de bière et se met à marcher en silence vers son destin. Welles confère à Hal une finalité mythique quand, après avoir montré Hotspur décidé à l'affronter dans un duel à mort, il enchaîne sur l'image d'un nuage de poussière qui, se dissipant, révèle Hal, debout, tenant son heaume d'une main et son bouclier de l'autre (une citation de l'apparition de John Wayne dans *La Chevauchée Fantastique,* de John Ford, où l'acteur émerge d'un nuage de poussière, tenant son fusil d'une main et sa selle de l'autre).

La mort plane sur tout le film, dont la gaieté semble toujours teintée de désespoir. Alors que ses deux pères sont en train de mourir, Hal est trop préoccupé par son propre avenir légendaire pour être d'un quelconque secours à l'un ou à l'autre. Son plaisir semble prendre des formes bizarres et détournées, comme s'il se reprochait à lui-même de perdre son temps, et aux victimes de son humeur de l'encourager. Il désire voir Falstaff « suer à en mourir » lorsqu'il s'enfuit après le vol à Gad's Hill, il veut dévoiler à tous que c'est un menteur invétéré, ou encore « le battre sous les yeux de sa catin ». Un critique a avancé l'hypothèse que, chez Shakespeare, pour se préparer à assumer sa fonction royale, Hal se défait de ses tendances patricides (en tuant Hotspur, le rival de son père) dans la première partie de *Henry IV,* tandis qu'il se déferait de sa libido et de son narcissisme (en supprimant Falstaff bien sûr) dans la deuxième. Welles remplace cette idée de « pénitence » par celle d'une vertigineuse autodestruction. A l'instar de son père, de Hotspur, et bien sûr, de Falstaff, Hal a choisi précisément le chemin qui le mène à sa perte. Il est effrayant parce qu'il est très jeune et qu'il agit comme un vieillard. Welles met en parallèle ses sentiments et ceux de ses deux « pères », quand il fait suivre le monologue du roi sur le sommeil par la réplique de Hal à Poins : « Devant Dieu, je suis bien las », suivie de celle de Falstaff : « Bon sang, me voici aussi mélancolique qu'un chat castré ou un ours enchaîné ».

Tandis qu'un tocsin qu'on entend dans le lointain ponctue les toutes pemières scènes du film, les thèmes du rejet et de l'adieu le parcourent de bout en bout. La séquence de la bataille, véritable cataclysme logé au cœur même du film, débute dans un somptueux déploiement romantique pour se terminer sur les coups abominablement lents et pesants que se donnent les soldats qui rampent, épuisés, dans la boue. Le montage de la séquence, sur le mode du « œil pour œil, dent pour dent », traduit le sentiment d'une gigantesque impasse, d'un effort incroyable fourni pour rien. La chair finit par avoir raison de Falstaff, et on le retrouve gisant sans défense sur un lit : Hal et Poins se gaussent de lui devant Dolly Beaux Draps, et son seul recours demeure son esprit. Le roi paraît transi et momifié dans son immense château froid comme une tombe. Hal et Hotspur semblent pratiquement murés dans leurs armures. Mais Falstaff, lui, est bien vivant ! Avec son ahurissante agilité, il nous fait rire quand il court parmi les troupes qui chargent (un véritable trait de génie) ; il se fraye aussi un chemin à travers la foule indifférente des danseurs dans une taverne. Mais il ne se fond jamais dans la masse désœuvrée ; il semble voué à devoir toujours se détacher bizarrement du paysage, tel un château. Tout, dans le film, est près de s'engluer dans l'immobilité.

Hormis dans la séquence de la bataille, *Falstaff* ne reproduit pas le schéma du passage violent de la gaieté à l'abattement tel qu'on

Falstaff.

le trouve dans les précédents films de Welles ; son équilibre parfait reflète la sérénité acquise. Tout au long du film, même dans les moments de « répit », mais plus vivement durant la comédie amère que se jouent Hal et Falstaff dans la scène de la taverne, qui annonce le point culminant du drame, la force de la destruction s'impose à la conscience des personnages. Falstaff essaie de refouler cette conscience, et ce sont ses diverses tentatives pour l'ignorer qui fournissent les éléments comiques du film. Il n'a pas la perfidie de Kane ni son aisance en société, et sa grandeur paraît une monstrueuse plaisanterie qu'il est impossible d'ignorer mais facile d'écarter. Il n'exige que de l'attention de celui à qui il se donne entièrement en retour. Son égocentrisme, à l'image de son corps, transcende le ridicule pour atteindre au sublime, et jusqu'à la mélancolie. Il ne craint que la mort, et adresse à Dolly Beaux Draps ce reproche : « Tu m'oublieras quand je ne serai plus de ce monde. » Il est peu probable qu'Orson Welles, soi en tant qu'acteur, soi en tant que réalisateur, réussisse un jour une scène aussi émouvante que celle du renvoi de Falstaff. Il nous permet lui-même de nous juger supérieurs à Kane ; mais jamais nous ne sommes supérieurs à Falstaff. Il se met à nu devant nous. Et *Falstaff* est le testament de Welles.

13. Une Histoire immortelle

Il y a de cela une génération, dans *La Dame de Shanghai,* Welles (sous les traits d'un jeune marin) nous disait que Macao était le pire lieu de perdition qu'il ait connu. Il le disait avec forfanterie pour impressionner la jeune femme qui, plus tard, tenterait de provoquer sa perte. Welles se moquait de cette dangereuse tendance du jeune homme à se laisser attirer par les plus vils personnages – sorte de descente dans le Maëlstrom. Les puissances du Mal, l'avocat, sa femme, et son associé, préparaient une mise en scène afin de tendre un piège au jeune marin. Welles utilise cette fable, dans *Une Histoire immortelle,* comme base pour une enquête philosophique. Sa source, le court roman d'Isak Dinesen, est comme un condensé de ses thèmes, et il s'en écarte très peu, se contentant d'y introduire ses propres rythmes et une atmosphère caractéristique. Son héros, M. Clay, un marchand de Macao fabuleusement riche, et près de la mort, veut prouver sa puissance en faisant passer de la légende dans la réalité l'histoire de marin par excellence – celle où un vieil homme riche loue les services d'un marin pour féconder son épouse. « Je n'aime pas les faux-semblants, se dit-il, je n'aime pas les prophéties. J'aime les faits... On ne devrait jamais tenir compte que de ce qui est déjà arrivé. »

Contrairement à *La Dame de Shanghai,* qui débordait d'action, il ne se passe pratiquement rien dans *Une Histoire immortelle.* Hormis un chœur de marchands dans la première scène et une poignée de Chinois qui traversent l'écran en témoins muets, il n'y a dans le film que les quatre personnages principaux : Clay, son employé, Levinsky, le jeune marin et Virginie, la femme que Levinsky embauche pour jouer le rôle de l'épouse de Clay. Une cour, deux pièces à moitié vides et la résidence de Clay fournissent les seuls éléments de décor et deux voiles en lambeaux suffisent à indiquer l'existence du monde extérieur. Le film est un drame intérieur, une méditation. Le vieil homme est déconcerté quand il découvre que ses trois marionnettes connaissent également son histoire de marin ; c'est un présage qui lui désigne les forces qu'il devra combattre s'il veut mener à bien son entreprise. Cependant, il continue, nullement ébranlé, et se précipitant dans la chambre à coucher, incapable de dissimuler sa passion, il dit aux amants : « Parce que vous n'éprouvez aucune douleur, vous croyez agir de votre propre gré. Eh bien non, vous agissez selon ma volonté. Vous n'êtes que deux jeunes pantins, vigoureux et robustes, prisonniers de cette vieille main que voici ! »

Welles est, avant tout, comme il l'a dit lui-même, un homme d'idées, et chacun de ses films est, dans une certaine mesure, un drame philosophique. *Une Histoire immortelle* est le film le plus théâtral de toute sa carrière. La scène est simple et nue, les accessoires livrés à notre regard, les problèmes exposés et répétés sur divers modes et les personnages conscients du rôle qu'ils interprètent. Autre particularité : *Une Histoire immortelle* est une miniature, le film dure à peine une heure et c'est aussi le premier film en couleurs que tourne Welles depuis *It's All True.* La couleur, douce et onirique, rappelle l'affirmation de Fellini, selon qui la couleur, au cinéma, c'est « comme respirer sous l'eau », parce que « le cinéma, c'est le mouvement, et la couleur l'immobilité ». *Une Histoire immortelle* est un drame d'idées, linéaire et direct dans son approche intellectuelle. Mais du point de vue de l'émotion, c'est un film mystérieux, dans lequel une tension se crée entre immobilité et velléités d'action.

S'il y a mystère dans *Citizen Kane,* il s'agit du mystère qui entoure *les faits.* Avec son système labyrinthique de signes, le film

Une histoire immortelle, *Orson Welles* dans le rôle de *Mr Clay*.

me paraît avant tout évasif, centrifuge – ce qui n'est pas un jugement, mais une description. Welles rassemble tous les faits, les réfute, les uns après les autres, puis affirme sa résolution de ne pas définir le héros. Il nous amène à comprendre ce qu'est une légende, et nous force à nous demander quelle valeur il faut accorder à ce qu'on nomme « les faits ». Si nous entendons beaucoup parler de Kane, si nous le voyons beaucoup et s'il suscite en nous de nombreuses émotions – bien davantage que Mr Clay – , nous savons néanmoins que nous ne le comprenons pas. *Une Histoire immortelle* approche la légende du point de vue inverse, de l'intérieur : « centripète », le film présente comme le négatif de *Citizen Kane*. Cependant, dans la mesure où la création d'une légende est en soi un processus subjectif, et où la valeur d'une légende est décidée par celui qui en est le témoin, *Une Histoire immortelle* me semble toucher au vif du sujet. Ce que le film perd en ampleur, il le gagne en transparence : tout ce qui ne concerne pas Clay directement est éliminé, et lui-même est réduit à un seul acte, acte qui l'ennoblit en même temps qu'il rend caduque toute son existence antérieure. Avec *Une Histoire immortelle,* Welles nous a donné sa *Tempête.* Nous sommes transportés directement dans l'esprit du créateur, et quittons nos sièges de simples spectateurs pour rejoindre dans les cintres le *deus ex machina,* le manipulateur du spectacle. Les rêveries de Clay coïncident avec les raisonnements de l'auteur ; dès que l'appareil narratif fonctionne normalement, Clay meurt et l'auteur se retire, après avoir laissé à Levinsky le soin d'expliciter une dernière fois le thème du film. L'écran devient ensuite entièrement blanc : l'éclaircissement de notre pensée ne se serait pas accommodé d'un fondu au noir.

Dans les œuvres tardives des grands réalisateurs, la joyeuse ostentation avec laquelle le jeune cinéaste étalait aux yeux du spectateur toute sa profusion technique et ses éclairs de génie a fait place à une sobriété dont la lucidité est souvent prise pour une fixation sénile par ceux qui manquent d'assurance et de maturité. Ainsi Renoir nous a donné *Le Caporal épinglé,* John Ford *L'homme qui a tué Liberty Valance,* Ernst Lubitsch *Le Ciel peut attendre,* Howard Hawks *El Dorado,* Carl Dreyer *Gertrud* et Orson Welles *Une Histoire immortelle.* Si Clay, à la veille de sa mort, trouve la force de tenter l'impossible – si Welles peut renoncer à ses mouvements de caméra et à ses perspectives étranges – c'est parce qu'il a tout vu dans sa vie. Quand il nous montre Clay dînant seul, son visage reflété par une ultime,

nostalgique et mélancolique enfilade de miroirs, Welles nous dit :
« Il est tout à fait naturel que les choses soient telles qu'elles sont,
puisque c'était son désir qu'elles fussent ainsi. » Il y a pourtant
quelque chose que Clay n'a pas atteint, et qu'il ne peut atteindre,
quelque chose que ses machinations ont évoqué et qu'elles ne
peuvent plus dissiper. Dans les extraordinaires scènes érotiques
qui sont au cœur du film, Welles a brusquement recours, avec un
effet maximum, à la caméra portée sur l'épaule, pour suivre, dans
une intimité vibrante, Virginie qui va de-ci de-là, nue, éteignant
les chandelles dans la chambre à coucher, en une sorte de grave
prélude à l'amour (scène qui, comme tant d'autres dans ce film
délicatement masochiste, évoque un moment de *L'Impératrice
rouge,* de Sternberg). Le jeune marin entre dans la pièce pour
trouver Virginie étendue sur le lit, nue et les bras croisés sur sa
poitrine, dans un geste de pudeur et de protection à la fois : tandis
que le jeune homme se déshabille, Welles nous montre de
magnifiques gros plans sur le visage, la bouche et les yeux de la
jeune femme. Bien qu'Elsa s'abandonnât sans réserve dans *La
Dame de Shangaï,* on ne voyait aucune nudité ; le film, d'une
étonnante chasteté, ne faisait pas appel à un érotisme manifeste.
Mais ici, l'attirance physique, hésitante et spontanée entre
Virginie et le marin est l'affirmation d'une tendresse provocante et
moqueuse à l'égard de la chair épaisse et corrompue de Clay.
Aucun héros wellesien, même pas Quinlan ni Falstaff, n'approche
de si près l'état de décomposition que ce vieil homme aigri.

Dans ses deux derniers films, Welles s'est approché de plus en
plus des visages de ses personnages. C'est une victoire qu'il a eu
quelque difficulté à remporter. Plus tôt dans sa carrière, il évitait,
craignait presque, les gros plans, leur préférant la distance de la
rhétorique et la réserve de l'ironie. Les visages n'étaient que des
masques, et son style baroque et froid reflétait le désespoir de
personnages qui vivaient dans l'illusion. *Mr Arkadin* représentait
l'apogée de cette tendance ; mais après ce film, les personnages de
Welles acceptent de plus en plus d'admettre la duplicité de leur
nature. Dans *Une Histoire immortelle,* tout se passe dans les
échanges de regards, et leur effet sur les traits du héros. Welles est
revenu à son point de départ : les vaines investigations du reporter
dans *Citizen Kane* ; le récit est revenu à sa source, au conteur et à
son auditoire. Joseph K. trouvait qu'ériger le mensonge en
principe universel était un piètre recours ; Clay, quant à lui, à
l'image de Falstaff, s'évertue à transformer le mensonge en vérité.
Pourquoi meurt-il donc dès que son drame est consommé ? Il ne

meurt pas dans le livre. Chez Dinesen, le jeune marin confie à Levinsky un coquillage précieux que celui-ci devra remettre à Virginie en guise de cadeau d'adieu ; dans le film, c'est Clay en personne que le marin charge de cette tâche : un gros plan, soudain, montrant le coquillage qui oscille sur le plancher de la véranda où Clay l'a fait tomber, nous fait comprendre que le vieil homme vient de mourir.

Welles n'est pas égocentrique comme Chaplin, même si ses personnages le sont. Lorsque ces derniers meurent, le monde s'effondre avec eux – d'habitude c'est l'abandon de l'ordre chronologique et la grandiloquence de leurs derniers instants qui soulignent l'ampleur du cataclysme – , mais le style du réalisateur introduit toujours une distance ironique vis-à-vis de cet égocentrisme. Les héros malheureux, Othello et Arkadin se suicident, mais aucun héros wellesien ne s'immole en martyr, comme Chaplin le fait dans *Monsieur Verdoux*. Le héros wellesien meurt en combattant, et s'il entraîne le monde dans sa chute, l'acte-même souligne la présomption inhérente au défi qu'il lance. Welles est un auteur tragique. Il s'agit pour lui de régler ses comptes avec le monde.

Une Histoire immortelle diffère des autres films de Welles dans la mesure où le prologue – dont il se sert d'ordinaire pour évoquer un destin funeste non encore advenu – ne traite pas d'un malheur à venir, mais d'un malheur passé. Un chœur de trois marchands, pâles reflets de Clay – ils sont une création de Welles – décrit de manière laconique les circonstances dans lesquelles Clay a poussé au suicide son associé (le père de Virginie), et s'est emparé de sa résidence. Les héros précédents de Welles se tournaient vers le passé pour retrouver des souvenirs innocents, rassurants quoique illusoires. Si Clay révère le passé, c'est seulement parce qu'il confirme sa position présente. Il demande à Lovinsky de lui lire à voix haute ses vieux livres de compte et se moque de la prophétie d'Isaïe (« ... dans le désert jailliront les eaux ») que Levinsky porte toujours sur lui. L'innocence, le désir, la fécondité ne signifient rien pour Clay et il oppose les idéaux du marin à la réalité tangible de l'or : « Il est jeune. Hein, Levinsky ? Tout plein de sève. Le sang court abondamment dans ses veines. Et il connaît peut-être les larmes aussi. Il brûle pour tout ce qui détruit les gens – l'amitié, l'amour... Mais l'or, mon jeune matelot, ça c'est solide, ça c'est dur, c'est indestructible. » La transposition de l'histoire de marin dans la réalité est un geste de défi envers tout ce qui est prophétie, c'est une tentative pour faire d'un possible un passé, mais Levinsky, comme Virginie, prédisent à plusieurs reprises que cette dernière entreprise de Clay sera la cause de sa mort. Clay pense que c'est le futur qui est dangereux, car c'est en lui que se trouve la mort, mais c'est en fin de compte la machinerie du passé, la somme de ses illusions, qui le mènent à sa perte.

L'emploi du passé dans le prologue nous prévient que le héros de l'histoire tentera moins de retrouver son passé perdu que d'y échapper. Mais où peut-il fuir ? La boule de verre au début de *Citizen Kane,* comme le prologue de *La Splendeur des Amberson,* créent une atmosphère mystérieuse et romanesque. A l'opposé, l'évocation sardonique des marchands au début d'*Une Histoire Imortelle* nous laissent en proie à la désolation, et ce n'est qu'à la fin du film que Welles nous donne l'espoir d'un « possible » : avec l'image du coquillage, dans lequel on entend le bruit de la mer – message d'un autre monde. Le schéma traditionnel des films de Welles est donc totalement inversé ici, et la signification du coquillage tombant à terre est en tout opposée à celle de la boule de verre qui tombe à terre dans *Citizen Kane.* A la mort de Kane, nous éprouvons une vive émotion mêlée de respect : la boule qui se brise nous fait tressaillir – nous fait ressentir la grandeur de la libération de Kane. Le sentiment de gâchis et de futilité lié à la boule vient plus tard. Lorsque Clay fait tomber le coquillage, au contraire, nous savons très bien qu'il a tout sacrifié avec froideur à son intérêt personnel. Et quand nous voyons le coquillage se balancer sans bruit (nous ne l'avons pas vu tomber) sur le sol, nous comprenons soudain, avec violence et en un seul instant, qu'il a toujours existé une autre solution – la voix libératrice du mystère ignoré. La sensation de découvrir quelque chose coïncide avec le moment de la mort.

Clay meurt parce que son moi (sa conscience) l'a submergé. Virginie porte tranquillement son regard au loin tandis que Levintsky prononce l'oraison funèbre de son maître : « C'est très dur quand les gens tiennent tant à quelque chose qu'ils ne peuvent pas s'en passer. S'ils ne peuvent pas l'obtenir, c'est dur, mais s'il leur arrive de l'obtenir alors, c'est encore plus dur. » Plaçant le coquillage contre son oreille, il écoute l'écho d'une vague échouée sur la grève il y a longtemps. « Je l'ai déjà entendue jadis... mais où ? » La *futilité* de la vie de Kane est symbolisée par le traîneau qui brûle à la fin du film ; mais la dernière impression que nous gardons de Clay est celle d'un être qui n'a pas su entendre la voix du *possible.* Toute une partie de la vie de Welles s'est écoulée entre le génie méticuleux de *Citizen Kane* et la simplicité passionnée d'*Une Histoire immortelle*. Le renversement qui s'est opéré entre temps montre à quel point la préoccupation première de Welles concerne non pas les échecs mais les potentialités d'une existence.

Catalogue de la carrière d'Orson Welles

La préparation de ce catalogue a été facilitée par les informations que j'ai recueillies dans *The Fabulous Orson Welles* (Londres, 1956) de Peter Noble, dans la filmographie d'André Bazin in *Les Cahiers du Cinéma* (Paris, juin 1958) et dans *The Cinema of Orson Welles* (Londres et New York, 1965). Une grande partie des informations rassemblées ici sont réunies pour la première fois.

George Welles est né à Kenosha, dans le Wisconsin, le 6 mai 1915, de Richard Head Welles, inventeur, et Beatrice Ives Welles, pianiste. Son frère aîné, Richard, devint bûcheron. Orson a passé une grande partie de son enfance à Chicago, qu'il considérait comme sa ville natale. Lorsque sa mère mourut en 1923, il suivit son père dans des voyages autour du monde, notamment en Chine, où il resta quelque temps. En 1925, il entra à la *Washington Grade School* de Madison, dans le Wisconsin, mais il n'y resta qu'un trimestre. En 1926, il entra à la *Roger's Hill Todd School* de Woodstock, dans l'Illinois, où il participa activement au groupe théâtral de l'école. Son père mourut l'année suivante et Orson fut confié à un médecin de Chicago, le Dr Maurice Bernstein. Welles termina ses études à la *Todd School* en 1931 et entreprit plusieurs voyages avec l'argent qu'il avait reçu en héritage de son père. Après avoir traversé l'Irlande à pied, un bloc de papier à dessin dans une main et un crayon de l'autre (il voulait devenir peintre) il se fit présenter à Hilton Edwards du Gate Theater de Dublin, prétendant être un célèbre acteur new-yorkais. Après avoir interprété et mis en scène plusieurs pièces au Gate et au Gate Studio (Edwards révéla plus tard qu'il n'avait pas cru Welles un seul instant mais qu'il avait été impressionné par son culot), Welles retourna aux Etats-Unis puisque, en tant qu'étranger, il ne lui était pas permis de jouer à Londres. N'ayant pas réussi à se faire engager comme acteur à New York, il persuada Thornton Wilder et Alexander Woolcott de lui faire obtenir un rôle dans la production de *Roméo et Juliette* que préparait alors la compagnie itinérante de Katharine Cornell. En 1934 il épousa l'actrice Virginia Nicholson, rencontra Joseph Cotten et John Houseman, réalisa son premier film *The Hearts of Age* dans lequel il jouait également, et enregistra pour la première fois une émission de radio. Il fonda avec Houseman le Mercury Theatre en 1937, après qu'ils eurent monté ensemble des spectacles pour la *Works Progress Administration.* Il eut un premier enfant, Christopher, en 1937. En 1938, la veille de la Toussaint, pour *Halloween,* il provoqua une panique à l'échelle nationale avec la diffusion, à la radio, d'une émission du Mercury, *The War of the Worlds.* Sa femme Virginia demanda et obtint le divorce en 1939 ; et il signa son contrat avec la RKO la même année. En 1943, il épousa Rita Hayworth, naissance d'une fille Rébecca en 1944 et divorce en 1947. Mariage en 1955 avec Paola Mori, naissance en 1956 de Béatrice, sa dernière fille. Orson Welles est mort le 10 octobre 1985 à Hollywood.

Orson Welles réalisateur

The Hearts of Age (1934). Producteur, William Vance. Réalisateurs, Orson Welles, William Vance. Interprètes, Orson Welles, Virginia Nicholson, William Vance. Tourné (en 16 mm) à Woodstock, dans l'Illinois, durant l'été 1934. Durée approximative 6 minutes.

Cinémathèque française.

Orson Welles derrière la caméra.

Too Much Johnson (1938). Production, Mercury Productions. Producteurs, Orson Welles, John Houseman. Réalisateur, Orson Welles. Assistant réalisateur, John Berry. Scénario, Orson Welles, d'après la pièce de William Gillette. Images, Paul Dunbar. Interprètes, Joseph Cotten *(Johnson)*, Virginia Nicholson, Edgar Barrier, Arlene Francis, Ruth Ford, Mary Wickes, Eustace Wyatt, Guy Kingsley, George Duthie, John Berry, Herbert Drake, Marc Blitzstein, Howard Smith.

Tourné (en 16 mm) à New York (ville et environs) durant le printemps 1938. Réalisé dans le cadre d'une mise en scène théâtrale de *Too Much Johnson,* au Stony Creek Summer Theater de New York, le film n'a jamais été distribué ni présenté en public. Durée approximative : 40 minutes. L'unique copie fut détruite dans l'incendie de la villa de Welles à Madrid en août 1970.

En 1939, Welles réalisa un film dans le cadre de son spectacle de music-hall *The Green Goddess,* et tourna quelques tests pour *Heart of Darkness.*

Citizen Kane (1941). Production, Mercury Productions. Producteur exécutif, George J. Schaefer. Producteur, Orson Welles. Producteur associé, Richard Barr. Réalisateur, Orson Welles. Assistant réalisateur, Richard Wilson. Scénario, Herman K. Mankiewicz, Orson Welles. Images, Gregg Toland. Opérateur, Bert Shipman. Montage, Mark Robson, Robert Wise. Directeur artistique, Van Nest Polglase avec la participation de Perry Ferguson. Décorateur, Darrell Silvera. Effets spéciaux, Vernon L. Walker. Musique, Bernard Herrmann. Costumes, Edward Stevenson. Ingénieurs du son, Bailey Fesler, James G. Stewart. Interprètes, Orson Welles *(Charles Foster Kane),* Joseph Cotten *(Jedediah Leland* – et *un reporter des actualités,* non cité au générique), Everett Sloane *(Bernstein),* Dorothy Comingore *(Susan Alexander Kane),* Ray Collins *(James W. Gettys),* William Alland *(Jerry Thompson* ; et le *commentateur des actualités,* non cité), Agnes Moorehead *(Mary Kane),* Ruth Warrick *(Emily Norton Kane),* George Coulouris *(Walter Parks Thatcher),* Erskine Sanford *(Herbert Carter* ; et *un reporter des actualités,* non cité), Harry Shannon *(Jim Kane),* Philip Van Zandt *(Rawlston),* Paul Stewart *(Raymond),* Fortunio Bonanova *(Matisti),* Georgia Backus *(Miss Anderson, conservateur de la « Thatcher Library »),* Buddy Swan *(Charles Foster Kane, à l'âge de huit ans),* Sonny Bupp *(Kane, Jr),* Gus Schilling *(le maître d'hôtel du « Rancho »),* Richard

Charles Foster Kane en campagne. *Orson Welles et Agnes Moorehead.*

Barr *(Hillman)*, Joan Blair *(Georgia)*, Al Eben *(Mike)*, Charles Bennett *(le chanteur comique du banquet de « l'Inquirer »)*, Milt Kibbee *(reporter)*, Tom Curran *(Teddy Roosevelt)*, Irving Mitchell *(Dr Corey)*, Edith Evanson *(infirmière)*, Arthur Kay *(chef d'orchestre)*, Tudor Williams *(maître des chœurs)*, Herbert Corthell *(journaliste)*, Benny Rubin *(Smather)*, Edmund Cobb *(reporter)*, Frances Neal *(Ethel)*, Robert Dudley *(photographe)*, Ellen Lowe *(Miss Townsend)*, Gino Corrado *(Gino, le maître d'hôtel)*, Alan Ladd, Louise Currie, Eddie Coke, Walter Sande, Arthur O'Connell, Katherine Trosper et Richard Wilson *(reporters)*.

Tourné aux studios de la RKO à Hollywood du 29 juin au 23 octobre 1940. Première au New York Palace, à New York, le 1er mai 1941. Durée : 119 minutes. Distribution d'origine : RKO Radio.

The Magnificent Ambersons - *La Splendeur des Amberson* (1942). Production, Mercury Productions. Producteur exécutif, George Schaefer. Producteur, Orson Welles. Réalisateur, Orson Welles (scènes additionnelles réalisées par Freddie Fleck et Robert

Wise). Assistant réalisateur, Freddie Fleck. Scénario, Orson Welles, d'après le roman de Booth Tarkington. Images, Stanley Cortez. Images additionnelles, Russel Metty, Harry J. Wild. Montage, Robert Wise, Jack Moss, Mark Robson. Décors, Mark-Lee Kirk. Décorateur, Al Fields. Effets spéciaux, Vernon L. Walker. Musique, Bernard Herrmann. Musique additionnelle, Roy Webb. Costumes, Edward Stevenson. Son, Bailey Fesler, James G. Stewart. Voix du narrateur, Orson Welles. Interprètes,Tim Holt *(George Amberson Minafer)*, Joseph Cotten *(Eugène Morgan)*, Dolores Costello *(Isabel Amberson Minafer)*, Agnes Moorehead *(Fanny Minafer)*, Anne Baxter *(Lucy Morgan)*, Ray Collins *(Jack Amberson)*, Richard Bennett *(le Major Amberson)*, Don Dillaway *(Wilbur Minafer)*, Erskine Sanford *(Roger Bronson)*, J.-Louis Johnson *(Sam)*, Gus Schilling *(l'employé de la pharmacie)*, Charles Phipps *(l'oncle John)*, Dorothy Vaughan et Elmer Jerome *(deux badauds à l'enterrement)*, Olive Ball *(Mary)*, Nina Guilbert et John Eliot *(deux invités)*, Anne O'Neal *(Mrs Foster)*, Kathryn Sheldon et Georgia Backus *(deux bourgeoises)*, Henry Roquemore *(le quincailler)*, Hilda Plowright *(une infirmière)*, Mel Ford *(Fred Kinney)*, Bob Pittard *(Charlie Johnson)*, Lillian Nicholson *(la*

La Splendeur des Amberson, *Tim Holt, Dolores Costello et Joseph Cotten.*

propriétaire), Billy Elmer *(un domestique)*, Maynard Holmes et Lew Kelly *(deux habitants de la ville)*, Bobby Cooper *(George enfant)*, Drew Roddy *(Elijah)*, Jack Baxley *(le Révérend Smith)*, Heenan Elliott *(un ouvrier)*, Nancy Gates *(une jeune fille)*, John Maguire *(un jeune homme)*, Ed Howard *(le chauffeur* et *un habitant de la ville)*, William Blees *(l'adolescent témoin de l'accident)*, James Westerfield *(le policier présent lors de l'accident)*, Philip Morris *(un policier)*, Jack Santoro *(le coiffeur)*, Louis Hayward *(le domestique du bal)*.

Tourné aux studios de la RKO à Hollywood, du 28 octobre 1941 au 22 janvier 1942. Première américaine : 13 août 1942. Durée : 88 minutes (131 minutes à l'origine). Distribution d'origine : RKO Radio.

It's All True (1942). Production, Mercury Productions pour the Office of the Coordinator of Inter-American Affairs et RKO Radio. Producteurs exécutifs, Nelson Rockefeller, George J. Schaefer. Producteur, Orson Welles. Producteur associé, Richard Wilson. Réalisateur, Orson Welles (et Norman Foster, co-réalisateur de l'épisode *My friend Bonito)*. Scénario, Orson Welles, Norman Foster, John Fante. Images, W. Howard Greene. Deuxième cameraman, Harry J. Wild. Couleurs (épisode du *Carnaval)*, Technicolor. Montage, Joe Noriega. Interprètes, José Olimpio Meira ou Jacaré, Tata, Mané, Jeronymo, Sebastião Prata ou Grande Otelo, Domingo Soler, Jesús Vasquez.

Tourné en décors naturels au Brésil de janvier à août 1942. Le film, inachevé, n'a jamais été projeté.

Journey into Fear - *Voyage au Pays de la Peur* (1943). Production, Mercury Productions. Producteur exécutif, George J. Schaefer. Producteur, Orson Welles. Réalisateur, Norman Foster (et Orson Welles, non cité). Scénario, Joseph Cotten, Orson Welles, d'après le roman d'Eric Ambler. Images, Karl Struss. Montage, Mark Robson. Décors, Albert S. D'Agostino, Mark-Lee Kirk. Décorateurs, Darrell Silvera, Ross Dowd. Effets spéciaux, Vernon L. Walker. Musique, Roy Webb. Costumes, Edward Stevenson. Interprètes, Joseph Cotten *(Howard Graham)*, Dolores Del Rio *(Josette Martel)*, Orson Welles *(Colonel Haki)*, Ruth Warrick *(Stéphanie Graham)*, Agnes Moorehead *(Mrs Mathews)*, Everett Sloane *(Kopeikin)*, Jack Moss *(Banat)*, Jack Durant *(Gogo)*, Eustace Wyatt *(Dr Haller)*, Frank Readick *(Mathews)*, Edgar Barrier *(Kuvetli)*, Stefan Schnabel *(le commissaire de la marine)*,

Hans Conried *(Oo Lang Sang, le magicien)*, Robert Meltzer *(le steward)*, Richard Bennett *(le capitaine du bateau)*, Shifra Haran *(Mrs Haklet)*, Herbert Drake, Bill Roberts.

Tourné aux Studios de la RKO à Hollywood, 1942-43. Sortie aux Etats-Unis : 12 février 1943. Durée : 71 minutes. Distribution d'origine : RKO Radio.

The Stranger - *Le Criminel* (1946). Production, International Pictures. Producteur, S.-P. Eagle (Sam Spiegel). Réalisateur, Orson Welles. Assistant réalisateur, Jack Voglin. Scénario, Anthony Veiller (et John Huston, Orson Welles, non cités). Adaptation, Victor Trivas, Decla Dunning. Images, Russell Metty. Montage, Ernest Nims. Décors, Perry Ferguson. Musique, Bronislaw Kaper. Orchestrations, Harold Byrns, Sidney Cutner. Costumes, Michael Woulfe. Son, Carson F. Jowett, Arthur Johns. Interprètes, Orson Welles *(Franz Kindler alias Professeur Charles Rankin)*, Loretta Young *(Mary Longstreet)*, Edward G. Robinson *(l'inspecteur Wilson)*, Philip Merivale *(le juge Longstreet)*, Richard Long *(Noah Longstreet)*, Byron Keith *(Dr Lawrence)*, Billy House *(Mr Poetter)*, Martha Wentworth *(Sarah)*, Konstantin Shayne *(Konrad Meinike)*, Theodore Gottlieb *(Farbright)*, Pietro Sosso *(Mr Peabody)*, Isabel O'Madigan.

Tourné à Hollywood, 1945. Sortie aux Etats-Unis : 25 mai 1946. Durée : 95 minutes (85 minutes aux Etats-Unis ; 115 minutes à l'origine). Distribution d'origine : RKO Radio.

En 1946, Welles tourna quelques séquences dans le cadre de sa pièce musicale, *Around The World,* d'après Jules Verne.

The Lady of Shanghai - *La Dame de Shanghai* (1946). Production, Columbia. Producteur exécutif, Harry Cohn. Producteurs associés, Richard Wilson, William Castle. Réalisateur, Orson Welles. Assistant réalisateur, Sam Nelson. Scénario, Orson Welles ; librement adapté du roman de Sherwood King *If I Die Before I Wake.* Images, Charles Lawton Jr. Cameraman, Irving Klein. Montage, Viola Lawrence. Décors, Stephen Goosson, Sturges Carne. Décorateurs, Wilbur Menefee, Herman Schoenbrun. Effets spéciaux, Lawrence Butler. Musique, Heinz Roemheld. Direction musicale, M.W. Stolof. Orchestrations, Herschel Burke Gilbert. Chanson *Please Don't Kiss Me* Allan Roberts, Doris Fisher. Costumes (robes), Jean Louis. Son, Lodge Cunningham. Interprètes, Orson Welles *(Michael O'Hara)*, Rita Hayworth

La Dame de Shangaï, « la descente aux enfers » de *Michael O'Hara*.

(Elsa Bannister), Everett Sloane *(Arthur Bannister)*, Glenn Anders
(George Grisby), Ted de Corsia *(Sidney Broom)*, Gus Schilling
(Goldie), Louis Merrill *(Jake)*, Erskine Sanford *(le juge)*, Carl Frank
(le procureur Galloway), Evelyn Ellis *(Bessie)*, Wong Show Chong
(Li), Harry Shannon *(le conducteur du cabriolet)*, Sam Nelson *(le
capitaine du yacht)*, Richard Wilson *(l'assistant de Galloway)*, et
les interprètes du Mandarin Theatre de San Francisco.

Tourné aux Studios de la Columbia à Hollywood, extérieurs au
Mexique et à San Francisco. Première anglaise le 7 mars 1948 ;
sortie aux Etats-Unis en mai 1948. Durée : 86 minutes. Distribution d'origine : Columbia Pictures.

Macbeth (1948). Production, Mercury Productions pour
Republic Pictures. Producteur exécutif, Charles K. Feldman.
Producteur, Orson Welles Producteur associé, Richard Wilson.
Réalisateur, Orson Welles. Assistant réalisateur, Jack Lacey.
Scénario, Orson Welles, d'après la pièce de Shakespeare.
« Dialogue director », William Alland. Images, John L. Russel.
Images de la deuxième équipe, William Bradford. Montage, Louis
Lindsay. Décors, Fred Ritter. Décorateurs, John McCarthy Jr,

James Redd. Effets spéciaux, Howard Lydecker, Theodore Lydecker. Musique, Jacques Ibert. Direction musicale, Efrem Kurtz. Costumes, Orson Welles, Fred Ritter (pour les hommes), Adele Palmer (pour les femmes). Maquillage, Bob Mark. Son, John Stransky Jr., Garry Harris. Interprètes, Orson Welles *(Macbeth),* Jeannette Nolan *(Lady Macbeth),* Dan O'Herlilhy *(Macduff),* Edgar Barrier *(Banquo),* Roddy McDowall *(Malcolm),* Erskine Sanford *(Duncan),* Alan Napier *(le prêtre),* John Dierkes *(Ross),* Keene Curtis *(Lennox),* Peggy Webber *(Lady Macduff et une sorcière),* Lionel Braham *(Siward),* Archie Heugly *(le jeune Siward, son fils),* Christopher Welles *(l'enfant de Macduff),* Brainerd Duffield *(premier assassin* et *une sorcière),* William Alland *(deuxième assassin),* George Chirello *(Seyton),* Gus Schilling *(le portier),* Jerry Farber *(Fleance),* Lurene Tuttle *(une dame d'honneur* et *une sorcière),* Charles Lederer *(sorcière),* Robert Alan *(troisième assassin),* Morgan Farley *(un médecin).*

Tourné en 23 jours, durant l'été 1947, aux Studios de la Republic à Hollywood. Première américaine le 1er octobre 1948. Durée : 107 minutes (réduites à 86 minutes). Distribution d'origine : Republic Pictures.

En 1950, Welles tourna un petit film, *Le Miracle de Sainte Anne,* dans le cadre de sa pièce *The Unthinking Lobster.*

Cinémathèque française.

Macbeth.

177

Othello (1952). Production, Mercury Productions. Producteur, Orson Welles. Directeurs de production, Giorgio Patti, Julien Derode. Administration, Walter Bedone, Patrice Dali, Rocco Facchini. Réalisateur, Orson Welles. Assistant réalisateur, michael Washinsky. Scénario, Orson Welles, d'après la pièce de Shakespeare. Images, Anchise Brizzi, G.R. Aldo, George Fanto, avec la collaboration de Obadan Troiani, Alberto Fusi. Montage, Jean Sacha, John Shepridge, Renzo Lucidi, William Morton. Décors, Alexandre Trauner. Musique, Francesco Lavagnino, Alberto Barberis. Direction musicale, Willy Ferrero. Costumes, Maria de Matteis. Son, Piscitrelli. Narrateur, Voix d'Orson Welles. Interprètes, Orson Welles *(Othello)*, Micheàl Mac Liammòir *(Iago)*, Suzanne Cloutier *(Desdémone)*, Robert Coote *(Roderigo)*, Michael Lawrence *(Cassio)*, Hilton Edwards *(Brabantio)*, Fay Compton *(Emilia)*, Nicholas Bruce *(Lodovico)*, Jean Davis *(Montano)*, Doris Dowling *(Bianca)*, Joseph Cotten *(un sénateur)*, Joan Fontaine *(un page)*.

Tourné de 1949 à 1952 aux studios Scalera à Rome, extérieurs au Maroc – Mogador, Safi et Mazagan – et en Italie – Venise, Toscane, Rome, Viterbe, Pérouse et dans l'île de Torcello, dans la lagune de Venise. Première mondiale au Festival de Cannes le 10 mai 1952. Durée : 91 minutes. Distribution : Films Marceau-Cocinor pour la France. United Artists pour les Etats-Unis.

Cahiers du cinéma.

Othello, *Orson Welles et Suzanne Cloutier.*

Don Quixote (commencé en 1955). Producteurs, Oscar Dancigers, Orson Welles. Réalisateur, Orson Welles. Assistant réalisateur, Paola Mori. Scénario, Orson Welles d'après le roman de Cervantès. Images, Jack Draper. Assistant cameraman, Orson Welles. Narrateur, voix d'Orson Welles. Interprètes, Francisco Reiguera *(Don Quichotte),* Akim Tamiroff *(Sancho Pança),* Patty McCormack *(une jeune fille* et *Dulcinée),* Orson Welles *(lui-même).*

Tourné au Mexique (Puebla, Tepozlan, Texcoco, Rio Frio et Mexico) et à Paris. Durée approximative : 90 minutes. Inachevé.

Mr. Arkadin - *Dossier secret* (titre anglais) *Confidential Report* (1955). Production, Cervantes Film Organisation, Sevilla Studios (Espagne). Film Organisation (France). A Mercury Production. Producteur exécutif, Louis Dolivet. Directeur de production, Michel J. Boisrond. Réalisateur, Orson Welles. Assistants réalisateurs, José Maria Ochoa, José Luis De la Serna, Isidero, Martinez Ferri. Scénario, Orson Welles, d'après son roman. Images, Jean Bourgoin. Montage, Renzo Lucidi. Décors, Orson Welles. Musique, Paul Misraki. Costumes, Orson Welles. Son, Jacques Lebreton. Ingénieur du son, Jacques Carrère. Narrateur,

Cinémathèque française.

Mr Arkadin, *Orson Welles* dans le rôle de *Gregory Arkadin.*

179

voix d'Orson Welles. Interprètes, Orson Welles *(Gregory Arkadin)*, Paola Mori *(Raina Arkadin)*, Robert Arden *(Guy Van Stratten)*, Akim Tamiroff *(Jacob Zouk)*, Michael Redgrave *(Burgomil Trebitsch)*, Patricia Medina *(Mily)*, Mischa Auer *(le dresseur de puces)*, Katina Paxinou *(Sophie)*, Jack Watling *(le marquis de Rutleigh)*, Grégoire Aslan *(Bracco)*, Peter Van Eyck *(Thaddeus)*, Suzanne Flon *(la baronne Nagel)*, Tamara Shane *(la femme blonde de l'appartement)*, Frédéric O'Brady *(Oskar)*.

Tourné en France, en Espagne, en Allemagne et en Italie pendant huit mois en 1954. Première anglaise le 11 août 1955. Durée : 100 minutes. Distribution d'origine : Warner Bros.

Touch of Evil - *La Soif du Mal* (1958). Production, Universal. Producteur, Albert Zugsmith. Directeur de production, F.D. Thomson. Réalisateur, Orson Welles (scènes additionnelles dirigées par Harry Keller). Assistants réalisateurs, Phil Bowles, Terry Nelson. Scénario, Orson Welles, librement adapté du roman *Badge of Evil* de Whit Masterson *(Manque de Pot* en français). Images, Russell Metty. Montage, Virgil W. Vogel, Aaron Stell. Décors, Alexander Golitzen, Robert Clatworthy.

La Soif du Mal, *Akim Tamiroff (« Uncle Joe » Grande).*

Décorateurs, Russell A. Gausman, John P. Austin. Musique, Henry Mancini. Direction musicale, Joseph Gershenson. Costumes, Bill Thomas. Son, Leslie I. Carey, Frank Wilkinson. Interprètes, Orson Welles *(Hank Quinlan)*, Charlton Heston *(Ramon Miguel "Mike" Vargas)*, Janet Leigh *(Susan Vargas)*, Joseph Calleia *(Pete Menzies)*, Akim Tamiroff *("Uncle" Joe Grande)*, Valentin De Vargas *(Pancho)*, Ray Collins *(le procureur Adair)*, Dennis Weaver *(le veilleur de nuit)*, Joanna Moore *(Marcia Linnekar)*, Mort Mills *(Schwartz)*, Marlene Dietrich *(Tanya)*, Victor Millan *(Manolo Sanchez)*, Lalo Rios *(Risto)*, Michael Sargent *(le joli garçon)*, Mercedes McCambridge *(le chef de bande)*, Joseph Cotten *(détective)*, Zsa Zsa Gabor *(la propriétaire d'une boîte)*, Phil Harvey *(Blaine)*, Joi Lansing *(l'amie de Rudi Linnekar)*, Harry Shannon *(Gould)*, Rusty Wescoatt *(Casey)*, Wayne Taylor, Ken Miller, et Raymond Rodriguez *(membres de la bande)*, Arlene McQuade *(Ginnie)*, Domenick Delgarde *(Lackey)*, Poe Basulto *(un jeune délinquant)*, Jennie Dias *(Jackie)*, Yolanda Bojorquez *(Bobbie)*, Eleanor Dorado *(Lia)*.

Tourné aux studios de la Universal à Hollywood, extérieurs à Venice, en Californie, durant l'hiver 1957-58. Première américaine en février 1958. Durée : 93 minutes. Distribution d'origine : Universal.

The Trial - *Le Procès* (1962). Production, Paris Europa Productions (Paris) / FI-C-IT (Rome) / Hisa-Films (Munich). Producteurs, Alexander Salkind, Michael Salkind. Directeur de production, Robert Florat. Réalisateur, Orson Welles. Assistants réalisateurs, Marc Maurette, Paul Seban, Sophie Becker. Scénario, Orson Welles, d'après *Le Procès* de Franz Kafka. Images, Edmond Richard. Cameraman, Adolphe Charlet. Montage, Yvonne Martin, Denise Baby, Fritz Mueller. Décors, Jean Mandaroux. Musique et arrangements : Jean Ledrut (Editions Chapel). Leitmotiv musical : *Adagio pour orgue et cordes* de Tomaso Albinoni. Costumes, Hélène Thibault. Son, Jacques Lebreton. Ingénieurs du son, Julien Coutellier, Guy Villette. Prologue sur "L'Ecran d'épingles", Alexandre Alexieff, Claire Parker. Narrateur, voix d'Orson Welles. Interprètes, Anthony Perkins *(Joseph K.)*, Orson Welles *(Hastler)*, Jeanne Moreau *(Miss Burstner)*, Romy Schneider *(Leni)*, Elsa Martinelli *(Hilda)*, Suzanne Flon *(Miss Pittl)*, Madeleine Robinson *(Mrs Grubach)*, Akim Tamiroff *(Block)*, Arnoldo Foà *(l'inspecteur)*, Fernand Ledoux *(le chef-*

Le Procès, *Jeanne Moreau et Anthony Perkins.*

greffier), Maurice Teynac *(directeur du bureau de K.),* Billy Kearns *(sous-inspecteur N° 1),* Jess Hahn *(sous-inspecteur N° 2),* William Chappell *(Titorelli),* Raoul Delfosse, Karl Studer et Jean-Claude Remoleux *(bourreaux),* Wolfgang Reichmann *(l'huissier),* Thomas Holtzmann *(Bert, l'étudiant),* Maydra Shore *(Irmie),* Maw Haufler *(Uncle Max),* Michel Lonsdale *(le prêtre),* Max Buchsbaum *(le juge),* Van Doudde *(l'archiviste ;* coupé au montage), Katin a Paxinou *(un savant ;* coupé au montage).

Tourné aux Studios de Boulogne, à Paris, à la Gare d'Orsay et à Zaghreb du 25 mars au 2 juin 1962. Première à Paris le 21 décembre 1962. Durée : 120 minutes. Distribution d'origine : UFA- Comacico.

Chimes At Midnight - *Falstaff* (1966). Production, Internacional Films Espanola (Madrid) / Alpine (Basle). Producteur exécutif : Alessandro Tasca. Producteurs, Emiliano Piedra, Angel Escolano. Directeur de production, Gustavo Quintana. Réalisateur, Orson Welles. Direction de la deuxième équipe, Jesus Franco. Assistants réalisateurs, Tony Fuentes, Juan Cobos. Scénario, Orson Welles, adapté d'après les pièces *Richard II,*

182

Falstaff, *Orson Welles et Jeanne Moreau.*

Henry IV 1re et 2e parties, *Henry V* et *Les Joyeuses Commères de Windsor* de William Shakespeare. Commentaire d'après *Les Chroniques d'Angleterre* de Raphaël Holinshed. Images, Edmond Richard. Cameraman de la deuxième équipe, Alejandro Ulloa. Montage, Fritz Mueller. Décors, José Antonio de la Guerra, Mariano Erdoza. Musique, Angelo Francesco Lavagnino. Direction musicale, Carlo Franci. Costumes, Orson Welles. Son, Peter Parasheles. Narrateur, voix de Ralph Richardson. Interprètes, Orson Welles *(Sir John Falstaff),* Keith Baxter *(Le Prince Hal, plus tard le roi Henry V),* John Gielguld *(le roi Henry IV),* Jeanne Moreau *(Dolly Beaux Draps),* Margaret Rutherford *(Mistress Quickly),* Norman Rodway *(Henry Percy,* dit *Hotspur),* Marina Vlady *(Kate Percy),* Alan Webb *(Benêt),* Walter Chiari *(Silence),* Michael Aldridge *(Pistolet), Tony Beckley (Poins),* Fernando Rey *(Worcester),* Andrew Faulds *(Westmoreland),* José Nieto *(Northumberland),* Jeremy Rowe *(le Prince Jean),* Beatrice Welles *(le page de Falstaff),* Paddy Bedford *(Bardolph),* Julio Pena, Fernando Hilbert, Andres Mejuto, Keith Pyott, Charles Farrell.

Tourné à Barcelone, Madrid et autres lieux en Espagne, durant l'hiver 1964 et le printemps 1965. Première mondiale au Festival de Cannes le 8 mai 1966. Durée : 119 minutes. Distribution d'origine : Planet.

The Immortal Story - *Une Histoire immortelle* (1968). Production, ORTF/Albina Films. Producteur, Micheline Rozan. Directeur de production, Marc Maurette. Réalisateur, Orson Welles. Assistants réalisateurs, Olivier Gérard, Tony Fuentes, Patrice Torck. Scénario, Orson Welles, d'après le court roman d'Isak Dinesen (Karen Blixen). Images, Willy Kurant. Cameramen, Jean Orjollet, Jacques Assuerds. Montage, Yolande Maurette, Marcelle Pluet, Françoise Garnault, Claude Farny. Décors, André Piltrant. Musique, pièces pour piano d'Erik Satie, interprétées par Aldo Ciccolini et Jean-Joël Barbier. Costumes (pour Jeanne Moreau), Pierre Cardin. Son, Jean Neny. Narrateur, voix d'Orson Welles. Interprètes, Orson Welles *(Mr Clay)*, Jeanne Moreau *(Virginie Ducrot)*, Roger Coggio *(Elishama Levinsky)*, Norman Eshley *(Paul)*, Fernando Rey *(un marchand)*.

Tourné à Paris et à Madrid en septembre-novembre 1966. Sortie : à la Télévision française, simultanément avec sa première théâtrale le 24 mai 1968.

Une histoire immortelle, *Orson Welles* dans le rôle de *Mr Clay.*

184

The Deep : *Orson Welles, Michaël Bryant, Jeanne Moreau et Willy Kurant* pendant le tournage.

The Deep (1970). Réalisateur, Orson Welles. Scénario, Orson Welles, d'après le roman de Charles Williams « Dead Calm ». Images, Willy Kurant. Couleurs, Eastman Colour. Interprètes, Orson Welles *(Russ Brewer)*, Jeanne Moreau *(Ruth Warriner)*, Laurence Harvey *(Hughie Warriner)*, Olga Palinkas *(Rae Ingram)*, Michael Bryant *(John Ingram)*.

Tourné au large de la côte dalmate à Hvar, en Yougoslavie, 1967-69.

The Other Side of the Wind (1972). Réalisateur, Orson Welles. Images, Gary Graver. Scénario, Orson Welles. Couleurs, Eastman Colour. Production : SACI et Films de l'Astrophore.

Tournage commencé le 23 août 1970 à Los Angeles.

F for Fake - *Vérités et Mensonges* (1973-1975). Réalisateur, Orson Welles. Reportage, François Reichenbach. Images, Christian Odasso et Gary Graver. Musique, Michel Legrand. Interprètes, Joseph Cotten, Paul Stewart, François Reichenbach, Oja Kodar, Orson Welles.

Cinémathèque française.

Vérités et mensonges, F for Fake, la dernière réalisation d'*Orson Welles.*

Filming Othello (1978). Réalisateur, Orson Welles. Images, Gary Graver. Montage, Marty Ross. Musique, Francesco Lavagnino et Alberto Barbario. Interprètes, Micheàl Mac Liammòir, Hilton Edwards, Orson Welles.

Orson Welles : Interprétations

1934 The Hearts of Age (*La Mort.* Réalisateurs : Orson Welles, William Vance).

1941 Citizen Kane (*Charles Foster Kane.* R. : Orson Welles).

1943 Journey into Fear - Voyage au Pays de la Peur (*Colonel Haki.* R. : Norman Foster, Orson Welles).
Jane Eyre (*Edward Rochester.* R. : Robert Stevenson).

1944 Follow the Boys - Hollywood Parade (*Lui-même.* R. : Edward Sutherland).

1945 Tomorrow is Forever - Demain viendra toujours (*John Macdonald.* R. : Irving Pichel).

1946 The Stranger - Le Criminel (*Franz Kindler alias Professeur Charles Rankin.* R. : Orson Welles).

The Lady from Shanghai - La Dame de Shanghai (*Michael O'Hara*. R. : Orson Welles).

1947 Black Magic - Cagliostro (*Cagliostro*. R. : Gregory Ratoff).

1948 Macbeth (*Macbeth*. R. : Orson Welles).
Prince of Foxes - Echec à Borgia (*Cesar Borgia*. R. : Henry King).

1949 The Third Man - Le Troisième Homme (*Harry Lime*. R. : Carol Reed).

1950 The Black Rose - La Rose Noire (*Général Bayan*. R. : Henry Hathaway).

1952 Othello (*Othello*. R. : Orson Welles).

1953 Trent's Last Case - L'Affaire Manderson (*Sigsbee Manderson*. R. : Herbert Wilcox).
Si Versailles m'était conté (*Benjamin Franklin*. R. : Sacha Guitry).
L'Uomo, la Bestia e la Virtù - L'Homme, la Bête et la Vertu (*La Bête*. R. : Steno [Stefano Vanzina]).

1954 Napoléon (*Hudson Lowe*. R. : Sacha Guitry).
Three Cases of Murder - Trois Meurtres (sketch Lord Mountdrago par George More O'Ferrall).

1955 Mr. Arkadin - Dossier secret (*Gregory Arkadin*. R. : Orson Welles).
Trouble in the Glen - Révolte dans la vallée (*Sanin Cejador y Mengues*. R. : Herbert Wilcox).
Don Quixote - Don Quichotte. *Narrateur et lui-même*. R. : Orson Welles.

1956 Moby Dick (*Father Maple*. R. : John Huston).

1957 Man in the Shadow - Le Salaire du Diable (*Virgil Renckler*. R. : Jack Arnold).
The Long Hot Summer - Les Feux de l'été (*Varner*. R. : Martin Ritt).

1958 Touch of Evil - La Soif du Mal (*Hank Quinlan*. R. : Orson Welles).
The Roots of Heaven - Les Racines du ciel (*Cy Sedgwick*. R. : John Huston).

1959 Compulsion - Le Génie du Mal (*Jonathan Wilk*. R. : Richard Fleischer).
Davis e Golia - David et Goliath (*Saül*. R. : Richard Pottier, Fernandino Baldi).
Ferry to Hong Kong (*Capitaine Hart*. R. : Lewis Gilbert).

1960 Austerlitz (*Fulton*. R. : Abel Gance).
Crack in the Mirror - Drame dans un miroir. (*Hagolin et

Lamorcière. R. : Richard Fleischer).

I Tartari - Les Tartares (*Burundai*. R. : Richard Thorpe).

Lafayette (*Benjamin Franklin*. R. : Jean Dréville).

1962 The Trial - Le Procès (*Hastler*. R. : Orson Welles).

RoGoPaG (*Le directeur*, dans le sketch *La Ricotta*. R. : Pier Paolo Pasolini).

1963 The Vips, *Hôtel international*. R. : Anthony Asquith.

1964 La Fabuleuse Aventure de Marco Polo (*Ackermann*. R. : Denys de la Patelière, Noël Howard).

1965 Paris brûle-t-il ? (*le Consul Raoul Nordling*. R. : René Clément).

Treasure Island - l'Ile au Trésor (*Long John Silver*. R. : Jesùs Franco. Inachevé).

1966 Chimes at Midnight - Falstaff (*Falstaff*. R. : Orson Welles).

The Sailor from Gibraltar - Le marin de Gibraltar (*Louis du Mozambique*. R. : Tony Richardson).

A Man for All Seasons - Un Homme pour l'Eternité (*Cardinal Wolsey*. R. : Fred Zimmermann).

1967 The immortal Story - Une Histoire immortelle (*Mr. Clay*. R. : Orson Welles).

Casino Royal (*Le chiffre* dans l'épisode réalisé par Joseph McGrath).

I'll Never Forget What'is Name - Qu'arrivera-t-il après ? (*Jonathan Lute*. R. : Michael Winner).

Oedipus the King - Oedipe Roi (*Tiresias*. R. : Philip Saville).

1968 House of Cards - Duel dans l'ombre (*Charles Leschenhaut*. R. : John Guillermin).

L'Etoile du Sud (*Plankett*. R. : Sidney Hayers).

1969 Bitka na Neretvi - La bataille de la Neretva (*Le sénateur*. R. : Veljko Bulajic).

Mihai Viteazu - Michael the brave (R. : Sergiu Nicolaescu).

Tepepa (*Colonel Cascorro*. R. : Giulio Petroni).

Una su Tredici − 12 + 1 (*Markau*. R. : Nicolas Gessner).

The Kremlin Letter - La lettre du Kremlin (*Aleksei Bresnavitch*. R. : John Huston).

Start the Revolution Without Me (*Lui-même et Narrateur*. R. : Bud Yorkin).

1970 Catch 22 (*Général Dreedle*. R. : Mike Nichols).

Waterloo (*Louis XVIII*. R. : Sergei Bondarchuk)

The Deep (*Russ Brewer*. R. : Orson Welles).

Upon This Rock (*Michel Ange*. R. : Harry Rasky).

1971 A Safe Place (R. : Henry Jaglom).
     The Toy Factory (R. : Bert Gordon).
     Get to know Your Rabbit (R. : Brian de Palma).
     La Décade Prodigieuse (*Theo Van Horn*. R. : Claude Chabrol).
     The Canterbury Tales (*Le vieux Janvier*. R. : Pier Paolo Pasolini).
     To Kill a Stranger (R. : Peter Collinson).
1972 Malpertuis (R. : Harry Kumel).
     L'île au Trésor - Treasure Island (R. : John Hough et Andrea Bianchi).
     Necromancy (R. : Bert I. Gordon).
1973 Future Shock - Le Choc du Futur (R. : Alex Grasshoff).
1975 F for Fake - Vérités et mensonges (R. : Orson Welles).
     Le défi de la grandeur - The Challenge of Greatness (*Commentateur à l'image*. R. : Herbert Kline).
1976 Voyage of the Damned - Le voyage des damnés (R. : Stuart Rosenberg).
1977 The Late Great Planet Earth (R. : Robert Amram).
1978 Filming Othello (R. : Orson Welles).
1979 Never Trust an Honest Thief (R. : George Mc Cowan).
     Nicola Tesla (R. : Papic Krsto).
     The Muppet Movie - Les Muppets, Ça c'est du cinéma (R. : James Frawley).
1981 Butterfly (R. : Matt Cimber).

Welles apparaît également dans un documentaire *Désordre* (R. : Jacques Baratier, 1950) et il apparaît (interprète son propre rôle) et fait office de narrateur dans un court métrage, *Return to Glannascaul*, réalisé par Hilton Edwards en Irlande en 1951. C'est également lui le narrateur dans les documentaires suivants : *Out of Darkness* (1955. R. : Albert Wassermann), *Les Seigneurs de la Forêt* (Belgique, 1958. R. : Heinz Sielmann, Henry Brandt. Co-narrateur : William Warfield), *South Seas Adventure* (1958. R. : Carl Dudley et al.), *High Journey* (France, 1959, pour l'OTAN. R. : Peter Baylis), *Der Grosser Atlantik* (Allemagne Fédérale, 1962. R. : Peter Bailis), *The Finest Hours* (1964. R. : Peter Baylis), *A King's Story* (1965. R. : Harry Booth), *Barbed Water* (1969. R. : Adrian J. Wensley-Walker), *Sentinels of Silence* (Mexique, 1971. R. : Robert Amran) et *Directed by John Ford* (1971. R. : Peter Bogdanovich). Welles enregistra le commentaire pour *The Spanish Earth* (1937. R. : Joris Ivens), mais c'est Ernest Hemingway dont la voix fut choisie en fin de compte pour le lire.

Théâtre

Welles monta pour la première fois sur les planches à l'âge de trois ans : il interprétait le bambin chéri de Madame Butterfly à l'Opéra de Ravinia, dans l'Illinois. A l'Opéra de Chicago, il interpréta plusieurs autres rôles d'enfants, et il incarna "Peter Rabbit" lors d'un défilé pascal au grand magasin Marshall Field de Chicago. Il commença très jeune à monter des spectacles pour les membres de sa famille et leurs amis ; à l'âge de neuf ans, il interpréta une version du *Roi Lear* pour un acteur seul. A l'aide de marionnettes, il présenta d'autres classiques, spectacles pour lesquels il faisait toutes les voix. A l'âge de dix ans, en 1925, à la Washington Grade School de Madison, dans le Wisconsin, il joua dans plusieurs pièces, dont *A Christmas Carol* (il interprétait Scrooge). Durant l'été 1925, il présenta un spectacle pour un seul acteur, *Dr Jekyll et Mr Hyde,* à Camp Indianola. A la Todd School de Woodstock, dans l'Illinois, où il entra à l'automne 1926, il présenta un spectacle de magie pour "Halloween", et interpréta la Vierge Marie puis le Christ dans *The Servant in the House,* et Judas dans *Dust of the Road.* Durant les cinq années qu'il resta à la Todd Scool, il participa en tant que metteur en scène ou acteur – il avait Roger Hill comme professeur – à plus de trente spectacles, dont *Jules César, Richard III,* une version abrégée du cycle de Falstaff (à laquelle il reviendrait plus tard avec *Falstaff*) et *Androclés et le lion.*

Mises en scène

1931 *The Lady from the Sea,* d'Henrik Ibsen (Dublin Gate Theatre Studio).

Les Trois Sœurs, d'Anton Tchekhov (Dublin Gate Theatre Studio).

Alice au Pays des Merveilles USA (Dublin Gate Theatre Studio).

1934 *Trilby,* de Gerald du Maurier (Todd School, Woodstock, Illinois).

The Drunkard, de Mr. Smith, de Boston (Todd School, Woodstock, Illinois).

Hamlet, de William Shakespeare (Todd School, Woodstock, Illinois).

Le Tsar Paul, de Dimitri Merejewski (Todd School, Woodstock, Illinois).

1936 *Macbeth,* de William Shakespeare (production du Negro People Theatre pour le Federal Theatre à Lafayette Theatre, Harlem).

Turpentine, de A. Smith et P. Morell (id).

Horse Eats Hat, adaptation par Welles et E. Denby de la pièce de Labiche *Un chapeau de paille d'Italie* (Federal Theatre, au Maxine Elliott Theatre, New York).

1937 *Faust,* de Christopher Marlowe (Federal Theatre au Maxine Elliott Theatre, New York).

Jules César, de William Shakespeare (Mercury Theatre au Comedy Theatre, New York); plus tard au National Theater, New York.

The Cradle Will Rock, de Marc Blitzstein (Mercury Theatre au Venice Theatre de New York).

1938 *The Shoemaker's Holiday,* de Thomas Dekker (Mercury Theater au Comedy Theatre de New York).

Heatbreak House, de George Bernard Shaw (Mercury Theatre au Comedy Theatre de New York).

Too Much Johnson, adaptation par Welles de l'œuvre de William Gillette (Stony Creek Summer Theatre, New York).

L'importance d'être constant, d'Oscar Wilde (Cape Playhouse, Dennis, Massachusetts).

La Mort de Danton, de Georg Büchner (Mercury Theatre au Comedy Theatre, New York).

1939 *Five Kings,* adaptation par Welles des pièces de Shakespeare : *Henry IV,* 1re et 2e parties, *Henry V, Henry VI, 1re-3e parties, Richard II* et *Richard III* (Theatre Guild au Colonial Theatre, Boston).

La Déesse Verte, adaptation par Welles de l'œuvre de William Archer (RKO Vaudeville Circuit).

1941 *Native Son,* de Paul Green et Richard Wright (Mercury Theatre au St James Theatre, New York).

1942 *Le Mercury Wonder Show* (Présenté aux troupes armées sous chapiteau, Cahuenga Boulevard, Los Angeles).

1946 *Around the world,* adaptation par Welles et Cole Porter d'après Jules Verne (Adelphi Theatre, New York).

1947 *Macbeth,* de William Shakespeare (Utah Centennial Festival, Salt Lake City).

1950 *Time Runs,* adaptation par Welles de *Faust* (Théâtre Edouard VII, Paris et tournée en Allemagne Fédérale. Le programme comportait une scène de *L'importance d'être constant* et une autre, de *Henry VI,* 1re partie).

Une Grosse Légume, adaptation par Welles de son propre roman (Théâtre Edouard VII, Paris).

1951 *Othello,* de Shakespeare (St Jame's Theatre, Londres).

1953 *The Lady in the Ice,* ballet écrit et conçu par Welles (Ballet de Paris au Stoll Theatre, Londres).

1955 *Moby Dick - Rehearsed,* adaptation par Welles du roman de Herman Melville (Duke of York's Theatre, Londres).

1956 *Le Roi Lear,* de William Shakespeare (City Center, New York).

1960 *Chimes at Midnight - [Les Carillons de Minuit] - Falstaff -* adaptation par Welles de l'œuvre de Shakespeare, (Grand Opera House, Belfast).

Le Rhinocéros, d'Eugène Ionesco (Royal Court Theatre, Londres).

Interprétations (au théâtre)

1931 *Le Juif Süss,* de Leon Feuchtwanger (*le Duc Alexandre de Wurtemberg.* Dublin Gate Theatre).

The Dead Ride Fast, de David Sears (*Ralph Bentley,* id.).

L'Archiduc, de Percy Robinson (*le Général Bazaine,* id.).

Mogu of the Desert, de Padraic O'Conaire (*Le Grand Vizir,* id.).

1932 *La Mort prend des Vacances,* d'Alberto Casella (*le duc Lamberto,* Dublin Gate Theatre).

Hamlet, de William Shakespeare (*le Fantôme et Fortimbras,* id.).

The Circle, de Somerset Maugham (*Lord Porteux,* Abbey Theatre, Dublin).

Au Gate Theatre et à l'Abbey Theatre de Dublin, Welles interpréta aussi de petits rôles dans *Timon d'Athènes, Le Roi Jean* et *Richard II* (Shakespeare) ; *The Devil* (Benn W. Levy) ; *Grumpy* (Horace Hodges et T. Wigney Percival) ; *L'empereur Jones* (Eugene O'Neil) ; *Le Père* (August Strindberg) ; *Peer Gynt* (Henrik Ibsen) ; *Mr Wu* (Harry M, Vernon et Harold Owen) ; *Docteur Knock* (Jules Romains) ; *La Locandiera* (Carlo Goldoni) ; *Les Rivaux* (Richard Brinsley Sheridan) ; *The Play's the Thing* (Ferenc Molnar) ; *Le Secret de Makropoulos* (Karel Capek) ; *Homme et Sur-homme* (George Bernard Shaw) ; *Volpone* (Ben Jonson) ; et *La Route de Douvres* (A.A. Milne).

1933-4 Avec la compagnie itinérante de Katharine Cornell aux Etats-Unis :
Les Barrett de Wimpole Street, de Rudolph Besier (*Octave Barrett*).
Roméo et Juliette, de William Shakespeare (*Mercurio*).
Candida, de George Bernard Shaw (*Marchbanks*).

1934 *Trilby*, de George du Maurier (*Svengali*. Todd School, Woodstock, Illinois).
Hamlet, de William Shakespeare (*Claudius*, id.).
Le Tsar Paul, de Dimitri Merejewski (*le comte Pahlen*, id.).
Roméo et Juliette, de William Shakespeare (*Chœur et Tybalt*, Katharine Cornell Company au Martin Beck Theatre de New York).

1935 *Panic*, d'Archibald MacLeish (*McGafferty*, Phœnix Theatre Group à l'Imperial Theatre, New York).

1936 *Dix millions de fantômes*, de Sidney Kingsley (*André Pequot*, St James Theatre, New York).

1937 *Faust*, de Marlowe (*Faust*, Federal Theatre Group au Maxine Elliott Theatre de New YorK).
Jules César, de William Shakespeare (*Brutus*, Mercury Theatre au Century Theatre, New York).

1938 *Heatbreak House*, de George Bernard Shaw (*Capitaine Shotover*, Mercury Theatre au Comedy Theatre de New York).
La Mort de Danton, de Georg Büchner (*Saint-Just*, id.).

1939 *Five Kings*, adaptation par Welles de plusieurs pièces de Shakespeare (*Falstaff* et *Richard III*, Theatre Guild au Colonial Theatre, Boston).
La Déesse verte, adaptation par Welles de l'œuvre de William Archer (*Le Rajah*, RKO Vaudeville).

1946 *Around the world*, adaptation par Welles et Cole Porter du roman de Jules Verne (*Dick Fix*, Adelphi Theatre, New York).

1947 *Macbeth*, de William Shakespeare (*Macbeth*, Utah Centennial Festival, Salt Lake City).

1950 *Time Runs*, adaptation par Welles de *Faust* (*Faust*, Théâtre Edouard VII, Paris, et tournée en Allemagne Fédérale).
Une Grosse Légume, adaptation par Welles de son roman (*Jake*, Théâtre Edouard VII, Paris).

1951 *Othello*, de William Shakespeare (*Othello*, St Jame's Theatre, Londres).

1955 *Moby Dick - Rehearsed*, adaptation par Welles du roman de

Herman Melville (*Le régisseur, le capitaine Ahab et Father Mapple* ; également le *Roi Lear*. Duke's of York Theatre Londres).

1956 *Le Roi Lear,* de William Shakespeare (*Lear,* City Center, New York).

1960 *Chimes at Midnight - [Falstaff],* adaptation par Welles de pièces de Shakespeare (*Falstaff*. Grand Opera House, Belfast).

Radio

Cette liste, incomplète, a été établie par Marie Garness dans le cadre de sa thèse sur le travail radiophonique de Welles, Université du Wisconsin.

1934-35 Interprète McGafferty dans une version abrégée de *Panic,* d'Archibald MacLeish (CBS) ; commentaire de la série des Musical Reveries (CBS).

1936-37 Interprète Le Grand McCoy (+ commentaire) dans la série *The Wonder Show* (Mutual).

1937 Interprète Lamont Cranston dans la série *The Shadow* (L'Ombre) ; joue dans *Parted on her Bridal Tour* (Mutual) ; adapte, réalise (et joue Jean Valjean) dans *Les Misérables* (Mutual).

1938 Joue dans *Air Raid* (CBS) ; adaptation, commentaire, réalisation de la série *First Person Singular* (CBS), dans laquelle il joue également, du 11 juillet au 5 septembre. Comme c'était le cas pour d'autres séries de Welles à la radio, le reste de la troupe était composé pour la plupart des membres du Mercury Theatre, dont Joseph Cotten, Agnes Moorehead, Everett Sloane, Ray Collins, Paul Stewart, Erskine Stanford, et Richard Wilson. Directeur musical : Bernard Herrmann. Scénario : Howard Koch, Richard Brooks, Abraham Polonsky, Herman J., Mankiewicz et al. Les programmes de la série *First Person Singular* furent les suivants : *Dracula, L'Ile au Trésor, The Tale of two Cities, Les Trente-neuf Marches, Trois Nouvelles* (« *I'm a Fool* », « *Open Window* » et « *My Little Boy* »), *Hamlet, Les Affaires d'Anatole, Le comte de Monte-Cristo, The Man who was Thursday*. Du 11 septembre au 4 décembre Welles assura

aussi l'adaptation, le commentaire et la réalisation de la série
The Mercury Theatre on the Air (CBS) dans laquelle il joua
également. Les programmes furent, cette fois : *Jules César*
(commentaire d'après Plutarque, lu par H.V. Kaltenborn),
*Jane Eyre, Sherlock Holmes, Oliver Twist, Hell on ice,
Seventeen, Le Tour du Monde en 80 Jours, La Guerre des
Mondes, Au Cœur des Ténèbres, The Gift of the Magi, Life
with Father, The Bishop Murder Case, Les Aventures de
Monsieur Pickwick, Clarence* et *the Bridge of San Luis Rey.*
1938-40 Du 9 décembre au 2 juin 1939, et du 10 septembre 1939
au 31 mars 1940, adaptation, commentaire, réalisation de la
série *The Campbell Playhouse* (CBS) dans laquelle il joua
également. Les programmes furent les suivants : *Rebecca,*
avec Margaret Sullavan ; *Call it a Day,* avec Bea Lillie et
Jane Wyatt ; *Un Conte de Noël ; L'Adieu aux Armes,* avec
Katharine Hepburn ; *Counsellor at Law,* avec Gertrude
Berg ; *Les Mutins du Bounty ; The Chicken Wagon Family,*
avec Burgess Meredith ; *I Lost My Girlish Laughter,* avec
Ilka Chase ; *Arrowsmith,* avec Helen Hayes ; *La Déesse
Verte,* avec Madeleine Carroll ; *Burlesque,* avec Sam
Levine ; *State Fair ; The Royal Regiment,* avec Mary Astor ;
*The Glass Key ; Beau Geste ; Twentieth Century ; Show
Boat,* avec Edna Ferber, Helen Morgan et Margaret
Sullavan ; *Les Misérables, avec Walter Huston ; The Patriot,*
avec Anna May Wong ; *Private Lives,* avec Gertrude
Lawrence ; *Black Daniel,* avec Joan Bennett ; *Wickford
Point ; Our Town ; The Bad Man,* avec Ida Lupino ;
American Cavalcade, avec Cornelia Otis Skinner ; *Victoria
Regina,* avec Helen Hayes ; *Le Comte de Monte-Cristo ;
Algiers,* avec Paulette Goddard ; *Escape,* avec Wendy
Barrie ; *Liliom,* avec Helen Hayes ; *La Splendeur des
Amberson,* avec Walter Huston ; *The Hurricane,* avec Mary
Astor ; *The Murder of Roger Ackroyd,* avec Edna May
Oliver ; *Le Jardin d'Allah,* avec Claudette Colbert ; *Dods-
worth,* avec Fay Bainter ; *Lost Horizon,* avec Sigrid Gurie ;
Vanessa ; There's Always a Woman, avec Marie Wilson ;
Un Conte de Noël, avec Lionel Barrymore ; *Come and Get
it ; Becky Sharp,* avec Helen Hayes ; *The Lonely Heart,* avec
Bette Davis ; *The Citadel,* avec Miriam Hopkins ; *Broome
Stages,* avec Helen Hayes ; *Mr. Deeds goes to Town,* avec
Gertrude Lawrence ; *Dinner at Eight,* avec Lucille Ball et
Hedda Hopper ; *Only Angels have Wings,* avec Joan

Blondell ; *Rabble in Arms,* avec France Dee ; *Craig's Wife,* avec Fay Bainter ; *Les Aventures de Huckleberry Finn,* avec Jackie Cooper ; *June Moon,* avec Jack Benny ; et *Jane Eyre,* avec Madeleine Carroll.

1941 Réalisation et commentaire de sa pièce *His Honor, the Mayor* pour la série *The free Companies* (CBS).

1941-42 Réalisation de *The Lady Esther Show* et de *The Orson Welles Almanach,* dans lesquels il jouait également.

1942 Réalisation et commentaire de *Colombus Day,* une pièce d'Orson Welles, R. Metzer et Norris Houghton, dans la série *Cavalcade of America* (CBS).

1942-43 *Hello Americans,* une série politique en deux parties (CBS) ; *Orson Welles Air Drama,* deux programmes (CBS).

1943 Interprète un rédacteur dans un épisode de la série *Nazi Eyes on Canada* (Canadian Broadcasting Co.) ; participe au Jack Benny Show (NBC).

1944 Emissions politiques pour ABC et dans le cadre de la série *Socony Vacuum* (CBS).

1945 Reprise des programmes *The Mercury Theatre on the Air* (CBS) ; émissions sur divers sujets (WJZ, New York) ; adaptation, commentaire, réalisation de *This Is My Best series* (CBS) du 13 mars au 24 avril. les programmes furent les suivants : *Au Cœur des Ténèbres, Miss Dilly Says No, Blanche Neige, A Diamond as Big as the Ritz, le Maître de Ballantrae, Don't Catch Me,* et *Anything Can Happen.*

1947 Reprise des programmes *The Mercury Theatre on the Air* (CBS) ; émissions politiques (ABC).

1951 Commentaire des *Aventures de Harry Lime* (BBC), dans lesquelles il interprète également Harry Lime. Il écrit aussi certains scénarii de la série.

1952 Commentaire dans les séries de Scotland Yard, *The Black Museum* (BBC), dans laquelle il joue également ; interprète Moriarty dans *Sherlock Holmes* (BBC).

1953 Lecture de *Song of Myself,* de Walt Whitman (BBC).

Télévision

1953 *Le Roi Lear* (*Lear.* R. : Peter Brook).

1955 *The Orson Welles Sketchbook* (Six programmes pour la BBC) ; *Le Tour du Monde avec Orson Welles* (série de programmes de trente minutes pour Associated Rediffusion, London, inachevé).

1956 Interprète Oscar Jaffe dans *Twentieth Century* de Ben Hecht et Charles MacArthur (Ford Star Jubilee, CBS).

1957 Joue dans des versions abrégées du *Marchand de Venise, Macbeth, Othello* et *Le Roi Lear* (CBS et NBC) ; commentaire de *The Fall of the City,* d'Archibald MacLeish.

1958 Ecrit, produit, réalise *The Fountain of Youth* (adaptation d'une nouvelle de John Collier) pour laquelle il assure également le commentaire (Colgate Theatre) ; réalise *The Method* (documentaire sur l'Actor's Studio, pour la BBC).

1960 Narrateur dans *An Arabian Night* (Associated Rediffusion, Londres).

1961 Ecrit et réalise un film sur la tauromachie pour *Tempo* (ABC, Londres), dont il assure également le commentaire.

1967 Commentaire de *Ten Days That Shook the World* (Granada, Manchester).

1967-71 Très souvent invité au *Dean Martin Show* (NBC).

1969 Réalise et écrit *Le Tour du Monde avec Orson Welles* (CBS, non projeté) dans lequel il apparaît ; présentation d'une émission consacrée à Mike Todd ; réalise plusieurs films pour la télévision italienne.

1970 Narrateur de *To Build a Fire,* de Jack London (BBC).

1970-71 Participe à *The Frost Report* (New York) ; et en tant que présentateur, au même programme, pendant une semaine ; trois apparitions de 90 minutes dans le *Dick Cavett Show* (ABC) ; commentaire d'un épisode de *The Name of the Game* (NBC) ; présentateur d'une série de films muets, *The Silent Years* (WNET, New York).

1971 Participe à *The Marty Feldman Comedy Machine* (ATV, Londres).

Welles a également prêté sa voix à de nombreux spots publicitaires à la télévision. En 1955, il commença à tourner une adaptation pour la télévision de sa pièce *Moby Dick - Rehearsed,* mais arrêta au bout d'une journée. Il commença également un documentaire sur Gina Lollobrigida en 1958, mais ce dernier ne fut jamais achevé. En 1967, James MacAllen produisit et réalisa un documentaire en deux parties sur Welles, *Citizen Welles,* pour la série *Camera Three* de la CBS ; la même année, François Reichenbach tourna aussi, pour la télévision française, un film sur lui.

Welles écrivain

A - *Livres de Welles*
1. *Everybody's Shakespeare,* The Todd Press, Woodstock, Illinois, 1934, comprenant *Le Marchand de Venise, La Nuit des Rois* et *Jules César,* éd. par Welles et Roger Hill, préface de Welles et Hill, illustrations de Welles.
2. *The Mercury Shakespeare,* Harper & Bros., Londres et New York, 1939. Edition revue du précédent, augmenté de *Macbeth* et d'un article de Welles. Les quatre pièces de l'ouvrage parurent également en versions pour la scène, éd. par Welles, 1934-41.
3. *Invasion from Mars,* Dell Publishing Co., New York, 1949. Anthologie d'« histoires interplanétaires » choisies par Welles. Introduction de Welles. Comprend le scénario de *La Guerre des Mondes,* écrit pour la radio par Howard Koch.
4. *Une Grosse Légume,* Gallimard, 1953. Roman, traduit par Maurice Bessy.
5. *Mr. Arkadin,* Gallimard, Paris, 1954. Roman, publié en français à l'origine en 1956, en traduction, chez W.H. Allen, à Londres ; chez Thomas Y. Crowell, à New York, en 1956 ; et par Pyramid Books (paperback) à New York en 1958. Dans une interview à *Variety* en 1966, Welles affirma ne pas avoir traduit le livre lui-même. Sans nom de traducteur.
6. *This is Orson Welles,* de Peter Bogdanovich, en collaboration avec Orson Welles, Harper & Row, New York, 1972.

B - *Pièces de Welles*
1. *Marching Song,* pièce en cinq actes sur la vie de John Brown, par Welles et Roger Hill, env. 1933. Non publié ; localisation inconnue.
2. *Bright Lucifer,* pièce en deux actes, env. 1933, manuscrit tapé à la machine, corrections à la main ; fait partie de la collection de la Wisconsin State Historical Society, Madison.
3. *His Honor, the Mayor,* in *The Free Company Presents...* Dodd & Mead, New York, 1941. Pièce radiophonique ; CBS, 1941. Reprise dans *Playwrights Present Problems of Everyday Life,* éd. par H.H. Giles et R.J. Carlson, 1942.
4. *Colombus Day,* pièces radiophoniques de Welles, R. Metzer et Norris Houghton, in *Radio Drama in Action,* éd. par Erik Barnouw, 1945.

5. *Fair Warning,* in *A Bon Entendeur,* Editions de la Table Ronde, Paris, 1953. Pièce en deux actes traduite par Serge Greffet.
6. *Moby Dick - Rehearsed,* drame en vers blancs et en prose, d'après le roman d'Herman Melville ; Samuel French, New York, 1965. Welles a écrit cette pièce au début des années 1950.

Scénarios de Welles publiés

1. *La Splendeur des Amberson - The Magnificent Ambersons,* extraits publiés in *La Revue du Cinéma,* 1946 et in *Premier Plan,* 1961.
2. *Citizen Kane, L'Avant Scène du Cinéma,* 1962.
3. *La Soif du Mal - Touch of Evil* et *Le Procès - The Trial* (en espagnol) in *Temas de Cine,* 1962.
4. *Le Procès - The Trial, L'Avant Scène du Cinéma,* 1963.
5. *Salomé,* extrait d'un scénario publié par Maurice Bessy, *Orson Welles,* Paris, 1963.
6. *The Bible... in the Beginning,* Pocket Books, Inc., New York, 1966. Welles écrivit l'épisode sur Abraham, qu'il avait l'intention de réaliser lui-même ; il refusa d'apparaître au générique, la fin ayant été modifiée dans le film de John Huston, Christopher Fry est cité à sa place.
7. *Le Procès - The Trial,* transcription du dialogue et description de l'action, par Nicholas Fry, Simon and Schuster, New York, 1971.
8. *Citizen Kane,* ed. et introduction de Pauline Keal in *The "Citizen Kane" Book,* Little-Brown, Boston, 1971. Introduction parue dans le *New Yorker.*

Articles de Welles

1. "Experiment", *The American Magazine,* Novembre 1938.
2. "To Architects", *Theatre Arts,* Janvier 1939 ; réponse à un questionnaire.
3. "On Staging Shakespeare and on Shakespeare's Stage", int. à *The Mercury Shakespeare,* Harper & Bros, Londres et New York, 1939.
4. *Citizen Kane is not about Louella Parsons' Boss, Friday,* 14 février 1941. Le numéro comprend une lettre de Welles à Dan Gillmor de *Friday,* et des commentaires de Welles pour

des photographies de *Citizen Kane*. Article repris dans *Film Focus on "Citizen Kane"*, 1971.

5. "Biography of William Shakespeare (No. 1,000,999)", avec Roger Hill, *Scholastic*, 14 avril 1941. Réimpression de la préface de *Everybody's Shakespeare* et *The Mercury Shakespeare*.

6. Une série d'articles dans *The New York Post* et *The Farmer's Almanac*, 1942-45.

7. Une série d'articles dans *Free World, New York : "Moral Indebtedness"*, octobre 1943 ; *"Unknown Soldier"*, décembre 1943 ; *"Good Neighbor Policy Reconsidered"*, mars 1944 ; *"Habits of Disunity"*, mai 1944 ; *"Race Hate Must be Outlawed"*, juillet 1944 ; *"War Correspondent's"*, août 1944 ; *"American Leadership in 44"*, septembre 1945 ; *"Liberalism-Election's Victor"*, décembre 1944 ; *"G.I. Bill of Rights"*, janvier 1945 ; *"In Memoriam : Mankind Grieves for our late President"*, mai 1945 ; *"Now or Never"*, septembre 1945.

8. Préface à *He That Plays the King*, de Kenneth Tynan, Londres, 1950.

9. "Thoughts on Germany", *The Fortnightly*, Londres, 1950.

10. Préface de *Les Trucages au Cinéma*, de Maurice Bessy, Paris, 1951.

11. Préface de *Précis de Prestidigitation*, de Bruce Elliott, Editions Payot, Paris, 1952.

12. Une série de réflexions dans *La Démocratie Combattante*, Paris, avril-mai 1952.

13. Préface à *Put Money in Thy Purse*, de Micheàl Mac Liammòir, Londres, 1952.

14. "The Third Audience", *Sight and Sound*, Londres ; janvier-mars 1954, repris dans Peter Cowie, *The Cinema of Orson Welles*.

15. *"Je combats comme un géant dans un monde de nains pour le cinéma universel" Arts*, Paris, 25 août 1954. Repris en traduction sous le titre *"For a Universal Cinema"*, in *Film Culture*, New York, Vol. 1, N° 1, janvier 1955.

16. "Tackling *King Lear*", The New York *Times*, 8 janvier 1956.

17. Lettre à Herman G. Weinberg sur *Mr Arkadin*, reproduite dans *Film Culture*, Vol. 2, N° 4 (10), 1956.

18. "The Scenario Crisis", *International Film Annual*, N° 1, Londres, 1957.

19. Lettre au *New Stateman*, sur *La Soif du Mal*, Londres, 24 mai 1958.

20. "Un ruban de rêves", *L'Express,* Paris, 5 juin 1958, reproduite en traduction sous le titre "Ribbon of Dreams", *International Film Annual,* N° 2, Londres, 1958.

21. "The Artist and the Critic", *The Observer,* Londres, 12 juillet 1958. Repris dans *Notes et Contre Notes,* écrits sur le Théâtre d'Eugène Ionesco, Gallimard, Paris, 1962, et Grove Press, Inc., New York, 1964.

22. *"The War of the Worlds", Action,* Hollywood, mai-juin 1969. Transcription des commentaires de Welles sur l'émission télévisée de Dean Martin.

23. "But Where Are We Going ?", *Look,* New York, 3 novembre 1970.

24. Lettre au *Times,* Londres, 17 novembre 1971, sur le scénario de *Citizen Kane.*

Discographie

The Mercury Shakespeare. Diverses éditions des pièces radiophoniques. CBS records.

The War of the World's. The Mercury radio Programme. Audio Parties, LPA 2355 ; coffret de deux disques, Evolution Records, 4001.

Song of Myself. Poème de Whitman lu à la BBC. Westminster Recording Co., WBBC-8004.

No Man is an Island. Lecture de passages de Périclès, Donne, Paine, Patrick Henry, Carnot, Daniel Webster, John Brown, Lincoln, et Zola. Decca Records, DL 9060.

The Finest Hours et *A Man for All Seasons.* Bande originale des films. *The Begatting of the President.* Lecture d'une satire de Myron Roberts, Lincoln Haynes et Sasha Gilien. Mediarts Records, 41-2.

Projets de films non réalisés

L'histoire de la carrière de Welles est criblée de films qui n'ont jamais vu le jour : certains de ces projets n'étaient que des idées en l'air (comme John Houseman l'a dit, « Orson a acheté les droits sur les versions cinématographiques de la plus grande partie des grands classiques littéraires ») mais pour d'autres, comme *Catch 22,* il lui fut très pénible de ne pas les réaliser. Avant de tourner *Citizen Kane,* il prépara pour la RKO *Heart of Darkness* et *The Smiler with the Knife* de Nicholas Blake. Après

Citizen Kane, il voulait faire *Les Aventures de M. Pickwick.*
Durant la Seconde Guerre Mondiale, Alexander Korda annonça
qu'il ferait réaliser par Welles *Guerre et Paix* dès la fin de la
guerre. En 1944, Welles voulut faire jouer Chaplin dans un film
qu'il aurait réalisé ; quand Chaplin décida qu'il voulait réaliser le
film lui-même, Welles protesta et Chaplin finit par lui donner
plusieurs milliers de dollars et une mention dans le générique
pour l'idée de *M. Verdoux.* Parmi d'autres projets non réalisés,
citons : *Le Tour du Monde en 80 jours,* qu'il adapta pour la scène
mais que Mike Todd réalisa à l'écran ; *Moby Dick,* qu'il dut céder
à John Huston, qui employa cependant Welles dans le rôle de
Father Mapple ; *L'Odyssée,* sur le scénario duquel Ernest
Borneman travailla plusieurs mois ; *Jules César,* dont Welles a
plusieurs fois annoncé qu'il le filmerait : il abandonna le projet
quand Houseman commença à tourner le sien en 1953, mais y
revint en 1967, lorsqu'on annonça qu'il le filmerait en costumes
modernes ; une comédie originale, *Opération Cendrillon,* sur
l'occupation après-guerre d'une ville italienne par une compagnie
de cinéma d'Hollywood ; trois histoires tirées de la Bible –
Salomé (pour Korda) dont il aurait été le Hérode ; *Deux par Deux,*
l'histoire de Noé ; et l'épisode d'Abraham dans *La Bible,* qu'il
écrivit mais qu'il refusa de tourner parce que les producteurs
refusèrent qu'il permît à Isaac de se soustraire au sacrifice ; et
Catch 22, qu'il essaya d'acheter pendant des années avant que
Mike Nichols ne fasse le film et ne lui fasse interpréter le rôle du
Général Dreedle ; *Midnight Plus One,* une adaptation du roman
de Gavin Lyall ; enfin, Welles a toujours voulu tourner *Le Roi
Lear.* Quand on lui demanda au cours d'une interview en 1965
quels films il préfèrerait tourner, il répondit : « Les miens. J'ai des
tiroirs pleins de scénarios que j'ai écrits moi-même... Je ne tourne
pas assez. Je suis frustré, comprenez-vous ? »

Remerciements

Nombreux sont ceux envers qui j'ai une dette, et sans
l'encouragement de certains je n'aurais jamais pu terminer cet
ouvrage. Durant nos rencontres Orson Welles m'a généreuse-
ment accordé une grande partie de son temps et de son attention.
Peter Bogdanovich qui a écrit avec lui le livre *This is Orson
Welles,* m'a permis de comparer mes notes avec les siennes.
J'aimerais également remercier William Donnelly et Michael

Wilmington, qui m'ont éclairé sur Welles et le cinéma en général ; Andrew Sarris et Robin Wood, deux critiques exceptionnels, qui m'ont tout appris ; Jon Zwickey qui, mieux que tout autre, a su comprendre Welles, comme tant d'autres phénomènes ; Andrew Holmes, Wayne Merry, Thomas Flinn, John Davis, Mark Bergman et Gene Walsh, qui m'ont aidé pour la projection des films ; Herman G. Weinberg, pour sa gentillesse ; Edward F. Jost et Gerald Peary, qui m'ont invité à parler sur Welles ; Marie Garbess, admiratrice de Welles, pour son enthousiasme ; Wayne Campbell, pour une agréable après-midi de recherches ; Penelope Houston, Tony Macklin, et Ernest Callenbach, pour leurs conseils quant à la rédaction de cet ouvrage ; Tom Book, Candy Cashman, Ellen Whitman, Mark Goldblatt, Richard Thompson, Dave Shepard, Milton Luboviski, Jane Mankiewicz, Russell Merritt, et Larry Cohen pour leurs conseils et l'intérêt qu'ils ont montré pour mon travail ; Steven Wonn, pour avoir remué ciel et terre ; mes parents et beaux-parents, pour avoir gardé confiance ; et les membres de la Wisconsin Film Society.

Certains passages de ce livre ont déjà parus en version originale, parfois sous une forme légèrement différente, dans *Film Quarterly, Film Heritage,* et *Sight and Sound,* et je remercie la rédaction de ces magazines de m'avoir autorisé à reproduire ces passages. Des extraits des chapitres 4, 5 et 12 ont paru dans *Persistance of Vision,* éd. par Joseph Mc Bride, Wisconsin Film Society Press, Madison, 1968.

Je dédie ce livre à ma femme, Linda, et à notre fille, Jessica.

J.M.

Achevé d'imprimer
le 12 novembre 1985
sur les presses de
l'Imprimerie A. Robert
24, rue Moustier - 13001 Marseille
pour le compte
des Editions Rivages
33, rue de Verneuil - 75007 Paris
10, rue Fortia - 13001 Marseille

Dépôt légal : 4ᵉ trimestre 1985